U0217260

中国近现代针灸文献研究集成

教材卷

王富春
杨克卫／主编

针灸技法分卷

（上）

北京科学技术出版社

图书在版编目（CIP）数据

中国近现代针灸文献研究集成. 教材卷. 针灸技法分卷 / 王富春, 杨克卫主编. —北京：北京科学技术出版社, 2021.11

ISBN 978-7-5714-1889-2

Ⅰ. ①中… Ⅱ. ①王… ②杨… Ⅲ. ①针灸疗法—文献—汇编—中国—近现代 Ⅳ. ①R245

中国版本图书馆CIP数据核字(2021)第204644号

策划编辑： 侍 伟
责任编辑： 吴 丹
文字编辑： 吕 艳 董桂红 杨朝晖 严 丹 陶 清
责任校对： 贾 荣
图文制作： 北京艺海正印广告有限公司
责任印制： 李 茗
出 版 人： 曾庆宇
出版发行： 北京科学技术出版社
社　　址： 北京西直门南大街16号
邮政编码： 100035
电　　话： 0086-10-66135495（总编室） 0086-10-66113227（发行部）
网　　址： www.bkydw.cn
印　　刷： 北京捷迅佳彩印刷有限公司
开　　本： 787 mm × 1092 mm 1/16
字　　数： 523千字
印　　张： 55
版　　次： 2021年11月第1版
印　　次： 2021年11月第1次印刷
ISBN 978-7-5714-1889-2

定　　价：980.00元（全二册）

“中国近现代针灸文献研究集成”丛书

编 委 会

张　琪　张　楚　张子扬　张丹枫　张珊珊　张晓旭

张晓梅　张瀚文　陆孟静　陈丽丽　陈春海　陈维伟

陈新华　邵　阳　范芷君　范嘉毅　岳永月　周　丹

冶丁铭　赵晋莹　赵雪玮　胡英华　柳正植　哈丽娟

钟　祯　洪嘉靖　姚　琳　贺怀林　柴佳鹏　党梓铭

徐　铭　徐万婷　徐立光　徐晓红　高　姗　郭丽君

郭晓乐　曹　洋　曹家桢　康前前　董国娟　蒋海琳

韩香莲　路方平　詹旭晖　谭蕊蕊

《中国近现代针灸文献研究集成·教材卷》

编　委　会

总 前 言

1840年，鸦片战争爆发，西方列强入侵中国，自此中国由独立的封建社会逐步沦为半殖民地半封建社会。20世纪初，受“五四运动”时期各种新思潮的影响，许多有识之士开始积极地向西方学习，由此，大量的自然科学和社会科学知识传入中国，这对中国的政治和社会经济等都产生了重大影响。近代西医学的影响力逐渐增大，解剖学、生理学等知识开始被当时的人们所了解和接纳，西医医院、西医学校等机构也在中国相继出现。随着西医医护队伍的不断壮大，许多人以转译日本人所著的西医学书籍的方式来学习西医学，并成立了相应的学术团体和职业团体。这一时期的针灸界亦是如此，宁波东方针灸学社、中国针灸学研究社等学术团体相继成立，针灸医家访问日本，带回大量日本的针灸著作并将之翻译出版。这些翻译著作较传统针灸医籍更容易学习，颇受民众喜爱。中国近代中医学家、教育家对针灸学术的研究极大地推动了针灸学的现代发展。中华人民共和国成立后，中医针灸学研究越来越受到重视，著书者众、办学者多，由此，针灸成为中医学研究与发展不可或缺的一环，并逐渐在世界范围大放异彩。2010年，中医针灸被列入《人类非物质文化遗产代表作名录》。中国近现代是中西方思想碰撞的时期，是中医学术多流派发展、百家争鸣的时代，其中又以民国时期最具代表性。研究民国时期这一特殊历史时期的针灸文献，可以为今后的针灸学术发展提供良好的借鉴。“中国近现代针灸文献研究集成”丛书对中国近现代针灸文献进行收集、整理和研究，其中以民国时期的针灸文献为主。

一、民国时期针灸的发展概况

民国时期的针灸学术研究一直未被学界所重视，但作为传统针灸与现代针灸的衔接，这一时期的针灸学术研究影响深远。民国时期是中医针灸学院化教育的萌芽时期，是现代针灸教育模式的源头时期，是针灸学术发展的历史转折期。近年来，对于民国时期针灸文献的研究逐渐被学界重视，大量民国时期的针灸医籍得以整理出版，如承淡安编撰的《中国针灸治疗学》《中国针灸学讲义》，杨医亚在民国时期办学的讲义等。然而，随着对民国时期针灸学术、针灸医籍的研究日渐增多与深入，研究者们面临着一个共同的难题——民国时期针灸文献的收集十分困难。这一难题产生的主要原因是民国时期的针灸文献存量不多，有些甚至已经失传。

经历了明清时期的积淀，民国时期的针灸学术得到进一步发展，针灸学术团体、学术体系逐渐形成，这一时期是传统针灸向现代针灸过渡的时期。以承淡安为代表的澄江针灸学派的先辈们创办中国针灸学研究社，开办针灸讲习所，招收学员，传播针灸技术，实践“针灸科学化”，对民国时期的针灸学术发展具有举足轻重的作用。民国时期针灸名医曾天治提倡的“科学针灸”的理念在这一时期备受关注，这对现代的针灸教育及针灸体系产生了巨大影响。中华人民共和国成立初期，全国各地兴办针灸学校，以承淡安为代表的针灸医家在继承古法、融汇新知的基础上，总结民国时期针灸学术研究成果及针灸教育的经验，开办针灸学习班，创办针灸高等教育学校，为现代针灸教育的发展打下了坚实的基础。

二、民国时期针灸文献的保存现状

有学者据《中国中医古籍总目》考查，发现民国时期的针灸医籍共有193种，较之明代的24种、清代的86种多出数倍。另有学者认为，民国时期的针灸医籍共有254种，其中中国本土针灸医籍有229种。民国时期是针灸医籍大量出现的时期。随着印刷技术的发展，出版书籍的成本逐渐降低，许多书籍得以大量出版。另外，民国时期各种中医学校、学术团体大量涌现，由于教学及学术交流的需要，针灸医籍的出版数量激增。

然而，对这些文献的保护并未得到足够的重视。首先，受当时的历史条件所限，大量图书并未经过正规出版，只是简单印刷，数量较少，且战乱频仍，导致不少文献难以留存全本。其次，由于不是正规出版物，相当一批文献没有进入馆藏系统，而是散落于民间，这使得这些文献留存状况不明，有些文献已经成为孤本，甚至已经散佚。同时，由于当时书籍纸张的质量普遍较差，且装订十分粗糙，部分文献在辗转流传过程中被损坏，已成残本，这种情况尤以油印材料及手抄本为突出。民国时期是我国出版业由手工造纸、印刷向机械造纸、印刷的过渡时期，相关技艺还不够成熟，用于印刷的纸张酸性强、保存期限短，加上长期以来各馆藏机构对民国时期文献的保护观念滞后、认识不足、保管不善，以致部分医籍呈现出不同程度的老化或损毁现象，情况岌岌可危。当前，亟须对这批文献进行重新整理及抢救性保护，使之进入国家各级馆藏体系，为我国针灸学术的传承及中医药事业的发展提供宝贵的文献资料。

三、本丛书所收录的针灸文献情况分析

（一）本丛书所收录的针灸文献书目

作者团队通过查阅《中国中医古籍总目》《中国针灸文献提要》《中国针灸荟萃·现存针灸医籍》《民国时期总书目·医药卫生》等工具书，参考各省（自治区、直辖市）及院校图书馆、档案馆和民间个人收藏书籍，共收集针灸文献1000余种，以来源可靠、记录严谨、实用性强、学术价值及文献价值高为原则筛选出210余种针灸书籍作为本丛书的书目。本丛书所收录的针灸文献以私人藏书为主，除了涵盖约90%的《中国中医古籍总目》所收录的民国时期的针灸文献，还增补了《中国中医古籍总目》所未收录的民国时期的针灸书籍近50种，其中不乏珍稀文献，如讲述“广西派针法”的《针灸菁华》、四川程兴阳的《针灸灵法》（石印本）等。对于抄本针灸文献，部分图书馆公藏的难以查阅，故本丛书未予收录，而民间发现的则择而收之。

本丛书按收录文献的内容题材进行分类分卷，并参考编者或学术团体所在地域进行分册，使体例清晰，便于使用。本丛书所收录文献按内容题材具体分为：①教材类；②专著类；③医案类；④杂志类；⑤图谱类；⑥其他（主要包括清末民国时期的佚名抄本等）。本丛书所收录针灸文献的情况如表1、表2所示。

表1　本丛书所收录针灸文献情况（按内容题材分类）

	教材类	专著类	医案类	杂志类	图谱类	其他
数量	54种	127种	5种	13种	6种	10种

表2　本丛书所收录《中国中医古籍总目》中针灸文献书目数量与《中国中医古籍总目》书目数量对比

	针灸通论类	经络孔穴类	针灸方法类	针灸临床类
“中国近现代针灸文献研究集成”收录书目数量	50种	23种	18种	16种
“中国近现代针灸文献研究集成”未录书目数量	15种	15种	8种	6种
《中国中医古籍总目》收录书目数量	65种	38种	26种	22种

注：《中国中医古籍总目》书目包括本丛书所收录书目与本丛书未录书目。其中抄本书目不在统计范围内，且《中国中医古籍总目》中的重复书目算作1种。①针灸通论类：收录50种，未录15种；另存抄本44种。②经络孔穴类：收录23种，未录15种（其中民国时期11种）；另存抄本64种，其中挂图7种，经查未见3种。③针灸方法类：收录18种，未录8种（多为太乙神针别本）；另存抄本15种（收录1种）。④针灸临床类：收录16种，未录6种（含针灸医案别本）；另存抄本17种。

（二）本丛书未收录的针灸文献书目

在对《中国中医古籍总目》进行查阅及对馆藏图书进行实地考察的基础上，现列举部分本丛书未收录的书目，以便后续收集。

针灸通论类：《针灸便览》、《中医刺灸术讲义》、《针灸秘法》、《简明针科学·论针篇》、《针灸纂要》、《针灸说明书》、《实用针灸医学》、《针灸学薪传》、《针灸学》（富锦文新书局）、《针灸学讲义》、《针灸精华》，以及《针灸学》（《中国中医古籍总目》载四川铅印本，经实地考察，实为《针灸医案》油印本）、《针灸学讲义》（重庆石印本，经查未见）、《针灸讲义》（石印本，经查与《针灸医案》同一函，蓝印）。

经络孔穴类：《脉度运行考》、《经络图说》、《俞穴指髓》、《铜人经穴骨度图》（张山雷）、《明堂孔穴针灸治要》（孙鼎宜）、《经络要穴歌诀》（经实地考察，该书与《经穴摘要歌诀·百症赋笺注》系同一馆藏代码，系重复编目）、《经穴辑要》（勘桥散人）、《十四经穴分布图》（姚若琴，经查未见，经考证为中华人民共和国成立后出版的，《中国中医古籍总目》有误）、《铜人新图》（范更生）、《正统铜人插针照片》、《实用铜人经穴图》（董德懋）、《针灸经穴挂图》（杨医亚）、《人体十四经穴图像》（赵尔康）、《人体经穴图》（承淡安）。以上多系人形挂图，未收录。

针灸方法类：《砭经》、《神灸经论》、《传悟灵济录》、《灸法秘传》、《灸法心传》、《延寿针治症穴道》等部分晚清针灸古籍。以上近年多有出版，未予收录。

针灸临床类：《济世神针》、《针灸治验百零八种》、《针灸医案》（系收录《针灸医案》别本）。

如上所述，本丛书基本涵盖了《中国中医古籍总目》所列大部分馆藏图书，亦收录了馆藏未见的民国时期的针灸书目近50种（其中新发现的民间私立学校所用针灸材料有数十种），缓解了目前民国时期针灸文献研究材料难得一见的窘迫局面，既能及时抢救该时期的中医针灸文献，又可使之化身千百，服务于学界，促进文化的传承。

四、民国时期针灸文献的价值及其对近现代针灸学术的意义

（一）民国时期针灸文献的价值

1. 文献保存

民国时期是一个战乱不断的特殊历史时期，战乱对书籍的保存流传的影响是灾难性的，如《针灸杂志》有35期，其中一部分印有千余册，时隔近百年，存世者已非常稀少，可见民国时期的针灸文献散佚了不少。部分老中医所藏医籍在1966—1976年亦有损毁，如著有《实用科学针灸》的谈镇尧（《中国中医古籍总目》为淡镇垚，系误）多年来整理的资料在这一时期几乎被销毁殆尽。《实用科学针灸》一书在河南中医药大学有藏，惜其只藏有中、下两册。在收集文献的过程中，作者团队收集到了谈镇尧的《实用科学针灸》《实用针灸讲义》。其中《实用针灸讲义》为1955年内部铅印本，其内容包含了谈镇尧已散佚的著述与资料，因此，该书的发现将谈镇尧的主要针灸医籍很好地保存了下来。民国时期的针灸文献凝结了一代中医针灸工作者的宝贵经验，是一代人无私奉献的结果，是我国中医针灸工作者宝贵经验和学术成果的集中体现。收集整理民国时期的针灸文献，可有力推动中医针灸学的发展。

2. 历史研究

1929年震惊中医界的“废止中医案”事件，使民国时期的中医学发展遭遇了前所未有的政策压制。民国时期的针灸史研究是整个近现代医学史研究的重要组成部分。目前我国对针灸史的研究多集中在民国时期以前的文献，对民国时期针灸文献

的研究基本处于空白状态。

民国时期是以澄江针灸学派为主导的多流派共发展、百家争鸣的时期。澄江针灸学派兴起于20世纪30年代。该学派以近代针灸名家承淡安先生为代表，以中国针灸学研究社核心成员及其传人为主体，是中国针灸学术发展史上具有科学学派特质的学术流派。民国时期该学派的代表人物还有罗兆琚、曾天治、赵尔康、杨甲三、程莘农等。该学派创办了民国时期影响最大、发行时间最长的针灸专业期刊《针灸杂志》，开创了具有现代化教育模式的中国针灸讲习所，推进了针灸学院化教育方式的发展。该学派的代表人物撰写了高质量的著作，如承淡安的《中国针灸治疗学》《中国针灸学讲义》，曾天治的《科学针灸治疗学》《针灸医学大纲》，罗兆琚的《中国针灸经穴学讲义》《实用针灸指要》，赵尔康的《针灸秘笈纲要》。这些书籍对民国时期及后世针灸医生影响甚深。除此之外，《（香港）广东中医药学校针灸学》（周仲房）、湖南国医专科学校《针灸学讲义》、《莆田国医专科学校针灸讲义》、《广西省立医药研究所针灸学讲义》、《广西省立南宁区医药研究所针灸学讲义》、《华北国医学院针灸讲义》、江苏省立医政学院《经络俞穴歌诀》等馆藏未见讲义陆续被发现，这为研究民国时期全国各地的院校教育提供了宝贵的一手材料。

作者团队在关注学院教育的同时，也收集到数目可观的民间私立学校的教学讲义，如《天津私立益三针灸传习所讲义》、《私立叔平针灸学社讲义》、《温灸术函授讲义》（广东温灸术研究社讲义）、《针灸菁华》（胡耀贞传习广西派针法使用的讲义）等。这些讲义使得民国时期的一些针法及治疗经验得以保存下来。

3. 临床应用

（1）“穴性”对初学针灸者的指导价值。“穴性”一词起源于民国时期。中华人民共和国成立后，“穴性”一词经李文宪、孙振寰等针灸医家的推广而广为流传。陈景文《实用针灸学》记载：“穴之有性质，亦犹药之有性质，知其性质，而后方明其功用。”该书将86穴分为气、血、虚、实、寒、热、风、湿8门。罗兆琚《实用针灸指要》记载：“夫所谓穴义者，即各穴具有之主要特性也，知其性之所在，而后明其功用之特长。故研究针灸术者，不知穴之性质，亦犹讲求方剂，而不识其药性。”该书记载了122穴，依旧将其分为8门。曾天治《针灸医学大纲》第五编“证治”中有“分门取穴”一节，此节除了介绍气、血、虚、实、寒、热、风、湿8门，又介绍了汗、肿、积、痛4门，然而后增的4门实为治疗处方，并非“穴性”。李文宪的《针灸精粹》亦记载了8门“穴性”的相关内容。20世纪80年代，孙振寰的《针灸心悟》记载了

“经穴性赋”的内容，使“穴性”广为流传。

“穴性”分气、血、虚、实、寒、热、风、湿8门。将药性与“穴性”进行对比，对腧穴进行分类，可使腧穴的临床应用更加系统化。“穴性”理论对于初学针灸者有较大帮助，初学针灸者可以依据症状选取穴位进行治疗，这种按“穴性”进行针灸治疗的方式在当时得到了众多医家的认可，并影响至今。

（2）“针灸科学化”为临床建立了相对容易理解的针灸理论体系。民国时期，在“五四运动”时期各种新思潮的影响下，西方科学技术和西医学在中国迅速传播，对针灸学术的发展产生了巨大而深远的影响。中医存废之争及中医科学化思潮使中医针灸面临着巨大的生存危机，以致民国时期的针灸医家被迫对当时的针灸进行反思和变革，试图用“西学”阐释和研究针灸，力求用“科学”改善针灸的生存环境；同时，日本针灸著作和研究成果的引进和翻译，将日本明治维新时期通过引进西方科学技术、西医学方法来阐释和研究针灸机制的方式带入中国。这使民国时期的针灸医家看到了曙光和希望，他们力图效仿日本而革新针灸，试图将中医针灸科学化，这也成为民国时期针灸学术的一大特色。

民国时期的针灸医家将解剖学引入对经络实质的研究中，进而阐释针灸治病的机制。如张山雷在《经脉俞穴新考正》中言：“中医之所谓经脉，质而言之，即是血管。”但在民国时期，以血管阐释经络的理论并未占据主流。这一时期以承淡安为代表的针灸医家，将用“西学”阐释针灸原理的方式从日本带回中国并广泛传播。如承淡安在《中国针灸治疗学》中用神经、血管、淋巴来解释经络系统；在《增订中国针灸治疗学》中明确指出经脉由血管、淋巴、神经等构成，用刺激神经的理论阐释针灸治病的机制，通过“强刺激、中刺激、弱刺激”来阐释传统针法的泻法、平补平泻、补法，并将手法量化为具体的操作范式，以便于临床应用。

（3）“广西派针法”的传承与实践。“广西派针法”肇兴于清代末期，起源于广西，创始人为光绪年间著名针灸医家左盛德先生。民国时期，“广西派针法”传播于安徽、天津以及江南等地，成为国内闻名、成绩斐然、颇具影响的针灸流派。

罗哲初（1878—1944），字树仁，号克诚子，“广西派针法”的代表性针灸学家、针灸教育家。罗哲初弟子张治平受该学派思想影响，编著《针灸菁华》。该书现仍存世，是目前研究“广西派针法”的重要资料。以《针灸菁华》为主线展开研究，作者团队发现了以罗哲初、张治平为主传承的2支“广西派针法”传承脉络，一是张治平→吕应韶→胡耀贞的传承脉络，二是张治平→王文锦→于冈樵→白荫昇的传承脉络。通过对《针灸菁华》所载内容的初步梳理发现，该书应为“广西派针法”传习过程中的针灸讲义，经张治平、胡耀贞等弟子整理得以保存下来。参考“广西派针法”相关研究文章，可以窥见“广西派针法”的针灸特色，其特点为遵循子午流注学说，以奇经八法、井荥输经合、主客原络为取穴原则，运用生成数施行补泻手法，独擅针下辨气，将针下气感分为紧、绵、虚、顶、吸、滑、涩、软、微、无力、纯紧、纯虚12种，并在辨气的基础上，采用针刺手法以治疗疾病。《针灸菁华》记载了《六十六穴歌》，将六十六穴每穴编为七言歌诀以便记诵，并记载了《治验效穴歌》《行针秘要歌》等针灸治验歌诀，以便读者学习或研究。

罗哲初及其弟子张治平对“广西派针法”的传承做出了突出贡献。近代分布在天津、安徽、山西及浙江宁波等地的数名针灸医家（如天津的郑静侯、曹一鸣、张治平、华佩文，安徽的刘泽涛和田理全，山西的胡耀贞，以及浙江宁波的裘如耕等）与“广西派针法”皆有渊源。这些针灸医家对“广西派针法”进行了传承与发扬，如郑静侯对“奇经八脉推算开穴法”进行了研究，曹一鸣对“养子时刻注穴法”进行了研究，华佩文对“不留针法”的催气、调气、行气进行了研究，胡耀贞对“无极针法”进行了研究等。这些针灸医家在继承“广西派针法”精髓的基础上，崇尚古法，融汇古今，形成了独具一格的针刺方法及手法，对“广西派针法”的传播做出了卓越的贡献。

（二）民国时期的针灸文献对近现代针灸学术的意义

1.是对近现代中医针灸学术成果的系统总结和突出展示

民国时期的针灸文献记载了当时的针灸医家传承针灸学术的宝贵经验。民国时期是中医针灸学院化教育的萌芽时期，是针灸学术发展的历史转折期，是现代针灸区别于古代传统针灸的开端，是现代针灸教育模式的源头时期。对该时期的针灸文献进行系统、全面的挖掘和总结，是我国中医针灸发展史上具有里程碑式意义的大事。保护好、传承好这些中医针灸文献，并对其进行深入、系统的研究，发掘针灸医家的宝贵经验，不但可以为当今的中医针灸学术研究提供资料和良好的借鉴，还对我国中医药事业的发展具有重要的现实意义和历史意义。

2. 使针灸学术经验得到完整的传承

民国时期的针灸文献凝结了一代中医针灸工作者的宝贵经验，是一代人无私奉献的结果，是该时期我国中医针灸宝贵经验和学术成果的集中体现。我们应珍惜该时期的文献资料，珍惜一代人的无私奉献。通过收集整理、出版该时期的文献，可以有力地推动我国针灸学术的传承发展。

3. 有助于我国中医针灸产业的发展

作者团队对民国时期中医针灸文献进行细致的筛选，并对本丛书所收录的每一种文献进行了深入的研究，撰写了内容提要，对每一种文献的主要学术价值、临床实用性等做出了客观的评价。这使得本丛书整体的学术质量得到了明显提高，也为中医针灸文献后续的学术研究、临床实践、学术流派研究、新疗法创新等工作，奠定了良好的学术基础。长期沉寂在近现代针灸文献中的技术、疗法的不断涌现，必然会对我国针灸相关产业的发展起到积极的推动作用。

4. 填补学界空白，有助于促进我国优秀传统文化的发展

对民国时期针灸文献的研究填补了这一时期针灸文献学术研究的空白。此次整理是中华人民共和国成立以来对这一时期针灸文献最集中、最全面的收集整理。此次整理以《中国中医古籍总目》为主要线索，对该时期的材料进行地毯式搜集。此次整理、出版使近现代针灸文献（本丛书目前所收录的文献以民国时期针灸文献为主）得到了抢救性保护，缓解了当前部分文献传承断裂的严峻局面，使民国时期针灸文献整体进入国家各级馆藏体系，有力填补了民国时期针灸文献学术研究的空白，为我国中医针灸的传承和中医药事业的发展提供了宝贵的文献资料，从而大大促进了我国优秀传统文化的发展。

前　言

《中国近现代针灸文献研究集成·教材卷》所收录的近现代针灸教材文献多出版于民国时期，少数出版于中华人民共和国成立后。

民国时期针灸教育的发展可谓曲折，1914年北洋政府主张废止中医，1929年国民政府通过了“废止中医”的提案，这些举动大大地影响了我国针灸学术的继承和发展。此时期的针灸学家们也清楚地意识到了中医针灸濒于湮灭的危机，他们团结一心，通过开班办学、创办杂志、翻译国外针灸著作等实际行动振兴中医针灸学，为我国针灸学的继承及发展做出了重大贡献。中华人民共和国成立初期，在民国时期中医院校、针灸学术团体的基础上，全国各地大力兴办中医学校，开办针灸学习班，中医针灸学术和教育得以进一步发展。

民国时期是传统针灸与现代针灸的衔接时期，是中医针灸学院化教育的萌芽时期，是针灸学术发展的历史转折期，是现代针灸治疗及理论区别于古代传统针灸的肇始。总结民国时期针灸学术的研究成果及针灸教育的经验，对现代的针灸教育影响深远。

民国时期的针灸教育主要有以下几方面的特点：一是针灸教育团体、学术体系逐渐形成，针灸学校主要由社会团体或个人创办；二是形成了具有地域特征的针灸学术流派，传承有序、传播广泛；三是教学内容以传统中医针灸理论为基础，注重吸纳西学，提倡“针灸科学化”，如以《西法针灸》、《高等针灸学讲义》等为代表的国外针灸著作被译成中文广为流传。

如1931年承淡安等学派先辈们创办了中国医学教育史上最早的针灸函授教育机构——中国针灸学研究社，开办针灸讲习所，开创了我国近代针灸教育的先河。该研究社传授并实践“西式”针灸学术，所用教材《中国针灸治疗学》与传统的针灸学著作不同，采用解剖学来讲解腧穴的定位。为了深入研究新法针灸，1934年10月，承淡安东渡日本学习和考察日本的针灸学，并带回针灸教学图具和在中国已经失传的

《十四经发挥》等医学专著。中国针灸学研究社培养出了邱茂良、罗兆琚、曾天治、赵尔康、杨甲三、程莘农等众多针灸名家，他们遍布全国各地，传道授业，对澄江针灸学派的传承与发展、对中医针灸学的传承与发展做出了重要贡献。

又如广西派针法的代表罗哲初游学办学，继承古法，以师传身授的教学方式在上海、南京、宁波、安庆等地先后举办了8期“针灸讲习班”，培养了一大批造诣颇深的针灸医家。这些人遍布大江南北，为传承和发扬广西派针法发挥了重要作用。罗氏弟子中如郑静侯、张治平、曹一鸣等积极研究学习针灸学术，对民国时期民间针灸学术的发展起到了重要的推动作用。

为适应时代变化和针灸学术的发展，民国时期的针灸教材在重视传统针灸理论的基础上，大都积极借鉴西方医学理论知识体系，重新诠释传统针灸理论。当时以西医学解剖部位及神经、肌肉等知识讲述腧穴的定位，以西医学神经、生理等知识阐释针灸现象已被广泛认可。针灸教材的内容渐趋规范化、科学化、实用化。

从民国时期针灸教材的内容中可以看到这一时期针灸学术研究的状况以及现代针灸教材的雏形。

但是需要注意的是，民国时期的针灸教材文献存量不多，大多已经失传。作者团队以《中国中医古籍总目》为主要线索，对以该时期为主的针灸文献进行地毯式搜集，经过10余年的努力，收集了1000余种针灸文献。此次，作者团队遴选了民国时期的针灸教材文献54种作为研究对象，以期保存和传承这些文献，为中医针灸的发展尽一份绵薄之力。以馆藏未见讲义为例，作者团队搜集到数种难得一见的针灸教材，如《（香港）广东中医药学校针灸学》（周仲房）、《针灸学讲义》（湖南国医专科学校）、《广西省立医药研究所针灸学讲义》、《广西省立南宁区医药研究所针灸学讲义》、《莆田国医专科学校针灸讲义》等，为民国时期全国各地的院校教育的研究提供了珍贵的一手材料。

另外，作者团队在关注学院教育的同时，也收集到数目可观的民间个人创办的私立学校的教学讲义，如《天津私立益三针灸传习所讲义》、《私立叔平针灸学社讲义》、《针灸菁华》（胡耀贞传习广西派针法使用的讲义）等。这些讲义在继承明清时期文献的基础上，以传承古法居多，使得一些家传针法及治疗经验得以较好地保存下来。私立办学在民国时期对针灸学术的发展也产生了举足轻重的影响。

此次对54种针灸教材文献的整理，以文献的内容题材进行分类，并参考编者或学术团体所在地域进行分册，体例清晰，便于使用。《中国近现代针灸文献研究集成·教材卷》按内容题材分为：①针灸基础分卷；②针灸技法分卷；③针灸临床分卷；④针灸综合分卷。其中，针灸基础分卷又按地域分为江浙闽篇、北方篇、两广篇；针灸综合分卷按地域分为江浙闽篇、北方篇、广东篇、广西篇、湖南篇。通过上述的分卷、分篇，可以方便读者学习与研究该地区的针灸学术特色。

以民国时期为主的近现代针灸教材文献承载了该时期针灸医家传承针灸学术及教学的宝贵经验，对整个近现代的针灸发展具有深远影响。本次对这一时期的针灸教材文献进行系统整理、深度挖掘和总结，对我国中医针灸的发展具有重要的历史意义和现实意义：不仅可以保护珍贵的文献资料、呈现针灸教育发展史，还将填补民国时期针灸教材文献研究的空白，为现代针灸教育的改革与发展提供参考和借鉴。

目 录

针科学讲义（杨医亚）

提　要

一、作者小传

杨医亚（1914—2002），原名杨益亚，曾用名杨鸿星，河南温县人，中国共产党员，九三学社社员，河北中医学院教授。1934年，杨医亚考入近代名医施今墨先生主办的华北国医学院。在校学习期间，他受聘于施今墨先生主办的《文医半月刊》，任主编。1937年，杨医亚主办了《国医砥柱》月刊。办刊期间，他发表了大量针灸方面的文章。1938年，杨医亚从华北国医学院毕业。1939年，杨医亚在北京创办了国医砥柱总社函授部（1943年更名为中国国医专科函授学校）及中国针灸研究所函授部学习班。1943年，杨医亚受聘于华北国医学院，任教授。1949年，杨医亚被聘为华北国医学院院长。之后他辗转于河北、天津等处，任编辑、教师等。1983年，他被调至河北中医学院任中医基础教研组主任、教授，直至1988年退休。

办学期间，杨医亚撰写和翻译了多部针灸著作，包括《针科学讲义》《中国灸科学》《配穴概论》《针灸治疗学》《针灸处方集》《针灸秘开》《针灸经穴学》《针灸治疗医典》《耳针疗法》《孔穴学》《实用针灸治疗学》《袖珍针灸经穴便览》等。中华人民共和国成立后，上述书籍有部分再版。1954年，《近世针灸医学全书》出版，该书是在《针灸经穴学》《针科学讲义》《中国灸科学》《配穴概论》《实用针灸治疗学》等的基础上改编而成的。

二、版本说明

《针科学讲义》又名《中国针科学》，由杨医亚编写，1938年刊行，1946年出版第三版，而后多次再版，惜各版未能全部得见。《中国针科学》为中华人民共和国成立后所更之名。考《中国中医古籍总目》，《针科学讲义》于1946年出版，但根据所见1946年版版权页内容可知，1946年版应为第三版，《中国中医古籍总目》未注明其版本情况。《中国中医古籍总目》记载，《中国针科学》于1938年出版，为杨医亚诊所铅印本，据笔者考据，该版本应为1952年出版的第六版。

三、内容与特色

该书全1册，共31节，主要内容包括针术之定义、针之构造、针之种类、针之制法、针尖之形状、针之选择与保存法、刺针之练习、刺针之方式、刺针之押手、刺针之方向、针之生理作用、针之深部治疗、刺针时医者与病者之体位、针术之各种手技、刺针时应注意之要项、进针时之程序、补泻迎随说、近世针家十四法、通关过节十六法、刺针刺激之强弱、从解剖生理学上之见解对于身体之刺针、刺针之健体及病体作用、针术之适应证、刺针之禁忌点、针术之不适应证及禁忌证、晕针之处置、出针困难之处置、折针之处置、出针后之遗感觉之处置、出针后皮肤变色及高肿之处置、针尖刺达骨节时之处置法。

现将该书特色介绍如下。

（一）重视针刺手法，提高临床技能

杨医亚是位经验丰富的医家，重视针刺练习及针刺方法。该书对针术手法以及进出针时的注意事项等进行了详细的介绍。作者在第九节介绍刺针之押手时，指出押手是针刺内容中最重要的部分，押手的作用有四点：一是保持针或针管的固定；二是防止针刺时皮肤滑动，减轻疼痛；三是在施针过程中防止患者摇动、颤动；四是使针更容易刺入组织。作者在第十四节介绍针术之各种手技时，精简出10种临床常用技法，包括单刺法、旋撚法、雀啄术、皮针术、置针术、乱针术、间歇术、回旋术、细振术、歇啄术。作者认为这些方法应视患者的年龄、体质、病症轻重而细心选择。

（二）融入西方医学，促进针灸发展

在民国时期，针灸学受到了西医学的影响，该书对于针灸机制也从西医学角度进行了阐释。如第十一节介绍针之生理作用时提到“针以治愈疾病，其作用有三”，这3种作用即兴奋作用、制止作用及诱导作用。第二十二节介绍刺针之健体及病体作用时指出，健体之刺激影响感觉神经支、运动神经支、交感神经支的作用，病体之刺激影响知觉神经支、运动神经支、交感神经支的作用。第二十三节介绍针术之适应证时，

按照西医学系统分门别类介绍宜针刺治疗之疾病，这些疾病包括消化病、泌尿生殖器病、血行病、神经系病、运动器病、小儿病、眼科疾病等。以上内容对于针灸医生有重要的指导作用。

針科學講義

楊醫亞編輯

北平中國針灸學社出版
北平國醫砥柱總社經售

國醫砥柱總社 集中力量 推廣醫藥 擴大 組織 徵求 新社員啟事

‖希望未加入本社的同道們‖

‖踴躍來參加從事研究工作‖

處此抗戰結束，全國總復員之動向下，一切事業，皆須急起直追，以重新建設，本社楊醫亞醫師，以吾國醫藥，關係國民生計，至爲重大，而應證治療之特長，適合國人體質，更有提倡之必要，際此重新建設之時，必須有完善醫學團體，發揮精常之學說，整理之主張，方足以喚起各地醫藥同志，有端正之擒向，有研究之方針，爲改進建設中醫事業之準備，惟茲事體過大，非少數人力所能勝，端賴羣策羣力，互相維持，尙希海內外醫學同志們，相率加入，庶幾衆擎易舉，衆志成城，則不僅本社之幸，抑亦吾中醫界之幸也。

（一）歷史悠久 本社創辦於民國二十五年十一月，迄今將達十載，月刊亦出至第五十期，內容刊載久爲吾道同人所稱贊。

（二）信用卓著 本社出版國醫砥柱月刊，自發行以來，其間雖經戰事之影響及人事之變遷，然仍進行維持，刻下社員以達兩萬餘人，國內外各地多有分社之設立，信用卓著，有口皆碑，本社楊社長負責出版信用，決無停頓之弊。

（三）註册團體 本社已遵照法令分別呈請內政部中宣部市黨部等註册備案，認爲正式研究學術之醫學團體。

（四）入社手續 凡有志醫學者，不分男女，不限年歲，不論醫界非醫界，均可加入，惟初次入社者須塡志願書並同時繳納入社費一千二百元常年費二千元，共三千二百元國外另加二千元以後每年繳納常年費二千元。

（五）證書證章 凡一經入社者，經本社審查合格後，發給精美證書一張，證章一枚，認爲正式社員。

（六）贈閱醫刊 凡一經入社認爲正式社員後，即常年贈閱「國醫砥柱」月刊一份，以資研究，並有資疑問難之權。

（七）名譽理事 凡已經入社社員，（或同時入社者亦可）能一次介紹六十人以上，入社者另行給予本社名譽理事聘書一張，以資鼓勵。

（八）其他權利 購買國醫砥柱書局醫書藥品，有優待之折扣，如社員有價值之著作，本社可代爲出版問世，以便普及社會。

針科學講義目錄

針科學講義

中州　楊醫亞編輯

一，針術之定義

針術者，以一定之法則，用金屬性所製之細針，以刺入身體之一定部位，，如關節間兩筋間，谿膕之處而刺入之，施一定之手法，加以一種機械之刺戟其內部各組織，各神經系統，整其生浩機能之變調，以達治療疾病之技術一種方法也。

二，針之構造

太古之時，僅有石針，竹針，以石或竹製，至後人至日啓，如用鐵針，較之以前進步多矣，但因有酸化作用而生鏽，刺入時，易於折損，故現今專予斯業者，遂利用純鋼化合物製針，銳而滑利，堅柔而富有彈力，刺入之時不易折損，然亦以其好鏽，有以金銀所製之針，但無鋼鐵之滑利耳。

三，針之種類

太古之時，其針分爲九種，名曰九針，九針之義，古人應九數，一曰鑱針，取法於巾針，去末寸半卒銳之，長一寸六分，主熱在頭身也，二曰圓針，取法於絮針，箭其身而卵其鋒，長一寸六分，主治分肉間氣，三是鍉針，取法於黍粟之銳，長三寸五分，主按脈取氣令邪出，四曰鋒針取法於絮針，箭其身鋒其末，長一寸六分，癰疽熱刺之以出血，五曰鈹針取法於劍針，長四寸，廣二寸半，刺於癰腫以取大膿，或兩熱爭者也，六曰圓利針，取法於氂尾，針微大其末，反小其身，令可深入也，長一寸六分，主取癰痺或暴氣，七曰毫針，取法於毫毛，長一寸六分，主寒熱痛痺在絡也，八曰長針，取法於綦針，長七寸，主取深邪遠痺者也，九曰大針，取法於鋒針，其針微圓，長四寸，主取大氣不出關節者也。

以上九種針，多不用於內科之疾病，專用於攻破腫瘍等外科之手術，然今日外科醫術進步，亦少應用矣，故今日針術，專用毫針，以治療適應之疾病，毫針者以金銀鐵及白金混合而成，無鐵針之缺點，亦有專用白金者，因過於柔軟，不適於應用。

毫針區別針柄（龍頭），針體，針尖（穗先）三部，針之長普通一寸乃至四寸，用四寸以上之長針，就身體解剖學上言之，實不適用，故用者甚少，吾人常用者以一寸六分（俗稱寸六）至二寸針爲合適。

四，針之製法

針灸大成製針之法，用馬啣鐵製，謂其無毒，鍛鐵成絲，分長短斷之，則塗蟾酥再鍛之，然後纏以鐵絲爲柄，磨其一端爲針尖，再入芳香運氣辛溫和血之藥品中煮之，謂藥可入於針質內，其意爲施針時，藉針內之藥氣，以取運血氣也，實則鐵質堅緻，吸收葯力極微，且煮後復以砂屑磨擦之，使之先潔滑利，即能吸收葯力，一經磨擦，亦己消失，古人之用意，亦有似是而非者也。

近年工藝進步，鋼鐵皆有細絲，均而堅韌，故多用鐵絲或鋼絲製之，惟仍入葯中煑過，然後一端磨銳成爲針尖，一頭纏之以絲成爲針柄，復以細砂磨擦針尖，使其利而不銳，圓而不純，再擦針身，務宜光滑細緻，於是應用於人身自無痛澀之弊。

銅絲之針，堅韌適中，有彈力而不易折，較之馬啣鐵製良善多矣，但易起養化作用而生銹，爲一大缺點，金銀條製者、雖不生銹，而柔軟易曲，美中各有不足，今有不起養化作用之夾金鐵，亦有彈力，甚爲相宜。

五，針尖之形狀

用針之目的，在刺激神經，發揮其行氣行血機能者也，神經機能之活力，固在神經細胞，而傳導之功，乃在神經纖維，纖維細胞之柔嫩，不能受重大之損傷，則針鋒不宜鋒而圓，前人謂針頭圓者，血管遇之可以避，蓋亦經驗之談，然針頭太圓者，其面積較大，肌肉之抗力亦强，下針稍微困難，病者感到痛苦亦重，故針鋒尖銳固不可，太圓亦非宜，當於尖銳之中，帶有圓形，於圓形之中，理存尖銳，總之能利而不銳，圓而不鈍者，斯爲上品。

六，針之選擇與保存法

針常於身體緻密之組織中刺入，故不得不加選擇，一針尖之銳利。二屈曲或損傷否，三彈力，針尖不銳利，則穿皮時感覺疼痛，針無彈力有屈曲損傷，則刺入時恐有折針碎針之弊，預防針之屈曲損傷，則使用金銀針爲最安全，此應注意之事也。

近來針科發達，針具之式樣製具亦甚多，因之有治療診察室備用針具，與應診携帶應用針俱二種，治療室備用之針，常置於玻璃瓶之製器中央，或金類木材之板上，下置棉花，上掩絹布，應診用之針，應藏於針夾中，須使針固定不移，則針鋒針身決無受損之弊。

再者今日所製之金銀針，多用不純粹之金屬混合而成，應注意，並因瓶內空氣，常恐因酸化而生銹，宜時加拭淨，或以棉花絹布等包裝針器，曝之空氣中，以免生鏽，若貯而不用，則塗以油質，可久藏不變，總之應注意（一）針不可生銹，（二）針尖及針身不可有毀傷。

七，刺針之練習

運針不痛在乎指力，試觀奇人異士，手指所注，金不爲穿，力也，亦氣也，然氣不充實，則指力亦不足，氣充者，則易爲力，故先養氣，後練其指，二者互習，積久彌彰，其法有二：

一，用綿線球法，以綿花三四兩，搓成球形，每晨以綿線繞緊十二轉，時以三四寸長之毫針，用右手大指食指及中指，時時捻進捻出，日復一日，而線日增一層，經年累月，線球大而結實，捻針乃施展自如，功力已至，用諸人身，不復感覺痛苦矣。

二，二寸方厚之木條裝成一方架，其大小適合一粗紙，（即手紙）四角插入肆寸長尖釘，即以粗紙棚上三四張，懸掛壁間，高與肩齊，木架憑壁，紙面相外，即用右手大食二指，持針刺入之，刺入之時，以針尖點於紙面，二指捻動，疾行刺入，往反練習，覺手指勿須用力，即可一刺而入，再加一二紙，久久行之，依次加之，滿一寸厚，而能不須用力針即入者，指力之功已到，可出而問世矣。

再者捻運之主要技術，在手提插捻撥，左旋右轉，進退疾徐，各有法度，練習者應以針插入綿被中，爲提捻運動之練習，繼爲左旋右載之捻撥，次進爲進退疾遲之修習，能心有欲而手應之，圓轉自如，然後以臨症，可謂得心應手，庶無往不利矣。

八，刺針之方式

刺針之方式，專言進針時應用之手法，刺針之方法，大別分爲三種：(一)捻入法，(二)打入法，(三)管針法，此三種中今最流行者，爲捻入法，管針亦有行之者，但打入法施刺者甚少。

(一)捻入法　此爲最普通之針法，乃先以右手取毫針，左手探患者刺針之所，用大指與食指固定刺針之部位，右手持針柄與針體上端，適插在左大指與食指之間，輕輕觸皮膚，然後右手之針，用大指與食指捻針體，使下穿通皮膚，此針尖穿通皮膚，名曰穿皮，此時有無疼痛，完全在技術之嫺練如何，穿皮不感受何種疼痛，方合程度，穿皮既終，乃稍微加强，復遲遲將針體捻下，候針尖之目的達於組織中之個所，再行各種之手法，拔針之時不宜急，應遲遲拔出，然後用左手之中指揉之，使閉針口。

（二）打入法　其針短而粗，針尖挾於左手大指食指之間，按於穴上，針尖按於皮膚，二指保持其針尖與針體之角度，然後以右手食指扣打而入，使針入於身體組織中，不宜深刺，入穴約二三分而止，然後以左手之大食中三指，扶持針柄而捻運之，此法今已不行，且只行於腹部，腹部以外者多不用之，日本之打入法，更不及我國之法也。

（三）管針法　盛行於日本，以圓形或六角形之細管針，較針稍短一二分，應用時，以針插入管內，針尖一端，按於穴上，左手大食二指挾住之，右手之食指，扣打針柄，針即入穴，後然將針管上提，挾管之一指，則移於針身，保持原有之角度，針管既去，乃以右手捻動針柄而下，此法手術甚煩，如術者指力不足，與婦人用之，亦免痛之一法也。

九，刺針之押手

押手爲刺針上最重要之事，不問管針法，撚針法，先以右手中指或食指輕輕按住刺針部位，豫使慣於刺戟，次就大指與食指之腹側，置刺針部位，在其兩指間備置針或針管，此大指與中指，除固定刺針部位外，更加以適度之壓迫，即押手是也，押手之任務，具體之說明如下：

(一)保持針或針管之固定。

(二)若刺針部之皮膚滑動，必覺疼痛，故押手所以防皮膚之移動。

(三)施針中患者，身體每有動搖之事，此所以制止擅動。

(四)用押手則針之刺入組織容易。

押手宜視其刺入部位及其病理，而異其押手壓力之輕重，例如皮膚易於移動之處，或刺針强刺戟時，不得不加相當之强壓，皮膚知覺銳敏，不受强壓之處，或炎症等覺疼痛之時，則押手不得不輕輕施術，輕押手手指只觸皮膚，强壓則術者不得不用全身之力，此點應各自實地研究可知。

十，刺針之方向

刺針之方向，言刺針入穴時所向對之角度也，針於刺入組織中之方向，約可分爲三各：

(一)直針　針直刺入，不論直入或平進，均保持其九十度之直角，所謂直角，係皮膚面與針尖相接合，其兩方作各個之直角是也，人體經穴大部份皆從直角下針，直角應用於腰部等深部之刺針。

(二)斜針　向斜方刺入，即斜角，針尖與皮膚成四十五度以上之角度也，如刺風池，崑崙，太谿諸穴。斜針因內部貴重臟，不能深深刺入，或應用於淺層部之手術，故應用者甚少。

(三)水平針(即橫針)　最初沿皮下針不入筋肉，入皮後與皮平行，成爲銳角，即針尖與皮膚面相會，約爲二十五度角是也，橫針之甚穴少，僅頭部與胸部數處。

十一，針之生理作用

針以治愈疾病，其作用有三，玆分述於下：

(一)興奮作用　對於身體各機關之作用，衰弱或痲痺者，與以興奮，例如知覺或運動神經痲痺，或知覺異狀之正調，又如對於內臟機能，營養機能衰弱者，與以支配內臟機關。刺戟交感神經，以回復其機能，其他對於因神經機能之異狀，而起月經閉止，便秘等之正調，即一種神經衝動法，與電氣刺戟同一作用，惟針刺手術，能適宜於一局部，電氣療則不能。

(二)制止作用　筋肉，神經，腺(分泌機)等之興奮，或血管擴張，血液之組織灌漑旺盛，(如起炎症時)等，與以鎮靜緩解收縮作用，如基於知覺官能旺盛，而過敏疼痛，運動神經機能亢進，而痙攣抽搐等使之緩解，或消化器管之異狀亢進，而嘔吐下痢之使其鎭靜是也。

生理學上，神經越一程度如刺激時，則神經疲勞，其興奮力及傳導機能減衰，甚而有時機能一時癱瘓，故此制止作用之手術目的在强刺激，應用雀啄術，置針術，或歇針術等爲要。

（三）誘導作用　隔離患部，而從其他部位刺針，以刺激其末稍神經，引起血管作用，導血液於其部位，如對於腦充血之刺激四肢末稍，以擴張末稍部之毛細管，同時使腦之血管收縮，誘導血液至末稍是也，又如深部充血炎症來時，則刺針於淺部，或其他部位，以誘導其血液，又如對於腹部內臟機能亢進，或充血時，則刺激其末稍神經，擴張其血管，使起內臟之血行異狀，或行反射刺激，使下腹運動脈管收縮是也

刺針依以上三作用之發起，而奏效於疾病，惟現今所行之刺針學說，尙有刺激電氣說，今簡述之於下：

(一)電氣說，刺激時，生活體內之液體之電池作用，因針之金屬，與身體內之某種不明物質之間，發生電氣，以此電流，刺戟於身體之神經系或組織，以奏效於疾病，故電氣療法，乃係全身，而針術之療法，則乃局部。

(二)刺激說，針之刺激，即機械之學理之一種動作，刺激知覺運動之神經，其刺激程度之强弱，刺激時間之長短等，或以亢進神經，或營痲痺等作用，而導以治愈疾病。

(三)刺激變質說，刺針時，因針之大，而損傷筋神經，其損傷部分以下，因而變質，此刺針之損傷若多，其部必痲痺，其痲痺先經興奮階段，此作用即所以應用以治愈疾病。

以上刺針，對於身體之影響各說，舉其大要如左：

(一)興奮神經　(二)痲痺神經　(三)擴張血管　(四)收縮血管

（五）刺戟細胞，旺盛其新陳代謝之機能　（六）去筋肉之緊張力
（七）活潑內臟機能　（八）抑制內臟機能之亢進

十二，針之深部治療『介達作用』

刺針應刺身體之何處，是學者應知，而不可稍有差誤也，此層當更就刺針禁忌部位篇分述之，今先舉其刺針上深部治療之手術，與其應考慮之點而記述之，例如消化不良，起於胃機能之衰弱，應支配胃之自律神經，其目的先在背椎第六以下之棘狀突起之兩傍，因胃分佈之交感神經，即出於大小內臟神經，此交感神經在脊椎之前側以上，若與以實際之刺激，勢必穿通肋間筋，以達到肋間之緊張，又胸廓內有肺臟及肋膜，若誤深刺入此等重要臟器，恐來不測之害。

第一內外肋間筋，占呼吸筋中重要位置，若刺激此筋而使興奮，則呼吸時每來胸部疼痛，陷患者於不安，在此情形之下，應保持中樞神經系統及自

律神經系統各部。使之連絡吻合，故其表層，刺戟於同一部位之脊髓神經，使其刺戟傳達於交感神經，此之謂針治之介達作用，又變調神經，其感覺甚敏銳，例如胃痙攣，起於胃之知覺神經，較其之健全神經，感覺敏銳，若變刺激，即來變調之神經疾患，醫師常用痲醉葯注射，使之鎭靜，其他之健全神經雖不起作用，而疾患之神經，每起作用，刺針於於變調之神經作用，能正調鎭靜之。

十三，刺針時醫者與病者之體位

一，患者體位　以舒適與筋肉弛張之程度，或自然爲標準，如是在施術之中不致中途移動，若其姿勢屬於勉强，必中途轉動，發生屈針，或折針之弊，關於各部施術方而，如取下面之方式，大致不誤、

1.在頭部側面施術之時，用坐式，仰臥式，或側臥式，如頭

之後面，則取坐式，伏臥式，或側臥式。

2、在顏面部，取正坐式，或仰式，側臥式均可。

3、頸部及胸部，腹部之前面，則使之臥式，正坐亦可。

4、刺側胸部，側腹部時，取側臥爲良。

5、後頸部及肩胛部，背部，則用坐式，或伏臥式。

6、四肢及臂部，取坐式，或側臥式患部向上方以施之。

二，醫者之體位無定，應隨患者之體位而取適當之位置，總之以易於施術，易於發揮腕力與指力爲原則。

十四，針術之手技

針術之手技，即刺入時針之動作，適當與否，以發揮刺激之技也，針治上以病症之見效，定適當之刺激，爲治療經過上重大之關係，其手術甚多，茲簡述數種於左：

1、單刺法　針尖之達於目的部位時，即行拔去，此法主與輕微刺戟時應用之，應用小兒或婦女之無受針經驗者，或身體衰弱極度之症候者。

2、旋撚法　針之刺入中，或針達於目的部時，或拔出之際，右手之大食二指左右旋撚之手技，此法較單刺法與以稍强之刺戟時用之，以興奮爲目的之針法。

3、雀啄術　此法如雀之啄食，先使針達於目的部位後，於組織中，將針上下動搖，加以强刺激，此手技於强弱之制止，或達興奮之目的時，應用最多。

4、皮針術　在極淺之皮膚，行刺針方法，此專應用於小兒。

5、置針術　於刺針部位，一針乃至數針刺入達目的部位時，行二分乃至數分或十分十五分之長時間放置，而後拔出，此專應用於制止與神奮經，或達鎮靜目的。

6、亂針術　針之刺入達目的部位點，即行拔出，再就原處刺入，如此頻頻反復，此法應用於强刺激，適於誘導，解放充血鬱血之針法。

7、間歇術　針刺入後，或在中途間即行拔出，過相當時間，復又刺入，此方法於血管擴張，筋肉弛緩之目的應用之。

8、迴旋術　針刺入時，向左右旋迴刺進，拔出時，向反對方迴旋刺出，此法稍稍與以緩刺激時應用之。

9、細振術　刺針中，將針引極徵之振動，此法在收縮血管筋肉時應用之。

10歇啄術　針體刺入達三分之一時，行雀啄術，更進入三分之一時，行第二次雀啄術，更於末後三分之一時，行第三次，而後拔出，此法在深部疾患，須强刺激時應用之。

以上十種手技，視患者之年齡體質，病症如何，而適宜定之，猶之醫師，細心決其葯物之量，不可稍忽也。

十五，刺針時應注意要項

1、嚴重消毒　刺針入組織中，以毀傷組織，故對於針具，及術者之手指，患者之患部等，應用綿花醮酒精擦之，以消毒，再行手技。

2、針之檢點　針鋒是否無損，應詳細審察；若發生疑點，宜以薄紙擦之，全針擦過，絕無聲息，則針身不損，退出無音，悉無阻碍，則針鋒亦良，以之應用，可否無憂。

3、不適應之症　不宜針刺，術者應充分診別病症，若係禁忌症，不適應症，不可刺針。

4、小兒婦女之針刺　尤宜注意其移動，下針宜淺而速，不能久停，否則折針屈針，未有不演出者也。

5、病者之皮膚　（一）病者皮膚緊張者，刺下每感劇烈之疾痛，應先施强力之按摩，使之稍微緩和，然後進針，可免少痛苦。

6、凡病者發生筋肉攣急　切不可强力刺下，應立停止，切之循之，待其攣急緩解，然後遲遲下針，否則易生屈針之險。

7、病勢衰弱已極　脈微神散氣短欲絶者，萬不可輕易下針，妄思救治，靈樞曰，用針者，觀察病人之態，以知精神魂魄之存在得失之意，五者已傷，針不可治之也，但急性病症，而形似虛脫，若與以强刺戟之反射，每有因此而發生者，故行針刺者，宜隨機應變，審祭情形而定，不能泥於一法也。

十五，進針時之程序

進針之程序有三，一曰爪切，二曰持針，三曰進針分述於下：

一，爪切　難經有曰，知爲針者信其左，當刺之時，必先以左手壓按其所，針榮腧之處，彈而努之，爪而下之，其氣之來，如動脈之狀，順針而刺之云云，出即言進針之時，宜先彈努爪下而後進針也，彈努爪下，即按摩爪切，非惟使其皮下知覺之神經痲木，進針減少痛感已也，主要在探尋穴位，切準穴門，下針不致傷筋骨也，按摩爪切之法奈何，即於其應刺之部位，以左食指或大指，微着力按摩，探尋骨隙，穴位既得，以爪切下，成丁字紋，或一字紋，然後以針尖，着紋之中央而下，直達應刺之目的，可無阻礙矣，若操切從事，持針即刺，雖依其分寸而不按切，則未有能中的者，故用針者信其左也。

二，持針

持針之道，亦甚重要，內經有曰，持針之道，堅者爲實，正指直刺，無針左右，神在秋毫，屬意病者，審視血脈，刺之無殆，又曰，持針之道，欲端以正，安以靜，楊繼州曰，持針者，手如握虎，若擒龍，心無外思，若待貴人，此皆言持針必端正而心靜，要聚精會神，專意於指端針端，直刺橫刺斜刺，保持其角度，而後下針，斯克盡持針之法也。

三，進針

古人於進針之時，先定補瀉之要，後行進之法，靈樞經水篇曰，凡瀉者必先吸入針，凡補者必先呼入針，後之醫者，令咳嗽一聲以代呼，或曰口中收氣以代吸，乘患呼氣或吸氣之中而下針，其規則謹嚴，審慎從事，亦成一派，自今日人體生理解剖之學明，知古人之所謂營衞氣血者，一爲血液之流行，一爲神經生理之現象，針之補瀉虛實，不越乎興奮，制止等作用，對於補瀉之手技，乃屬於一種刺戟法之强度，進針時對於呼吸上，實無注意之必要，而心之靜，平之穩，徐徐捻撚而下，一方觀其面部之表情，爲進針捻拔之緩急，而急不變，口眼不纖引者，進針可速下，反之宜輕微漸進，此乃進針之要訣也。

十七，補瀉迎隨說

研究針術之古書，不論何種，均載補瀉迎隨四事，此說靈樞九針十篇，論之甚詳，今說其大要：

1、補者　在呼吸之呼氣時刺針，吸氣時拔針，以揉其跡。

2、迎者　向脈之流刺針，即瀉法也。

3、隨者　從脈之流刺針，即補法也。

以上所言之氣，在今日之蓋指神經云。

陳會之針法，隨咳進針，至適度後，微停少止，由右手大指，食指持針，細細搖動，進退搓捻，其針如手戰之狀，謂之催氣，約行五六次，覺針下氣緊，乃行補瀉之法，如針左則用瀉法，以右手大指食指持針，以大指向前，食指向後，以針頭輕提往右轉，食指連撚三下，略退出半寸許，謂之三飛一退，行五六次，如覺針下沉緊，是氣至極矣，再輕提左轉一二次，令人咳嗽一聲，隨聲出針，如針瀉右，則以左手持針捻運，大指向前，食指向後，針頭轉向右，依前法行之，若爲補法，隨病人吸氣轉針，其手技與瀉法適相反，針左之補法，以左手大指食指持針，食指向前，大指向後，捻針頭轉向右，針穿入一二分謂之一進三飛，連行五六次，覺針下沉緊，或針下氣熱，是氣已至足，令病人吸氣一口，隨吸出針，急以手按其穴，如針右，則以手捻撥，食指向前，大指向後，照前法行之，如背上中行，在男子則左轉爲補，右轉爲瀉，腹上中行，則右轉爲補，左轉爲瀉，女人反之，背中行，右轉爲補，左轉爲瀉，腹中行，則左轉爲補，右轉爲瀉。

李挺之補瀉法，針男子病者，左手陽經，以醫者，右手大指前進，呼之爲隨，退後吸之爲迎，左手陰經，大指退後，吸之爲隨，進前呼之爲迎，右手陽經，以大指退後，吸之爲隨，進前呼之爲迎，右手陰經，以大指前進，呼之爲隨，退後吸之爲迎，病者左足陽經，以醫者右手大指前進，呼之爲隨，退後吸之爲迎，左足陰經，以大指退後，吸之爲隨，前進呼之爲迎，右足陽經，以大指往後吸之爲隨，前進呼之爲迎，右足歸經，以大指前進，呼之爲隨，往後吸之爲迎，男子午前皆然，午後反之，女人與男子又反之。

十八，近世針家十四法

（1）切

凡欲下針之時，用兩手大指甲，於穴傍上下，左右四面，掐而動之，如刀切割之狀，令氣血宣散，次用爪法，爪者掐也，用左手大指甲著刀掐穴，右手持針，插穴有準，此下針之法。

（2）搖

凡退針出穴之時，必須搖擺而出之，所謂靑龍擺尾者，即搖法也，故曰，搖以行氣，此出針法也。

（3、）退

凡施補瀉，出針豆許，補時出針，宜瀉三吸，瀉時出針，宜補三呼，再停少時，方可出針，又一瀉法，一飛三退，邪氣自退，其法一插至地部，三提至天部，插針宜速，提針作三次出，每一次，停三吸，宜緩提時，亦宜吸氣，故曰，退以清氣，飛者進也。

（4、）動

凡下針時，如氣不行，將針搖之，如搖鈴之狀，動而振之，每穴每次，須搖五息，一吹一搖，按針左轉，一吸一搖，提針右轉，故曰，動以運氣，所謂白虎搖頭者，亦用此法，又曰，飛針引氣，以大指次指撚針來去上下也。

（5、）進

下針後氣不至，男左女右，轉而進之，外轉爲左，內轉爲右，春夏秋冬，各有深淺，又有補法，一退三飛，眞氣自歸，其法一提至天部，三進入地部，提針宜速，進針三次，每停三息宜緩，進時亦宜吹氣，故曰，應以助氣。

（6、）循

下針後氣不至，用手上下循之，假如針手陽明合谷穴，氣若不至，以三指平直，將指面於針傍，至曲池上下往來按摩，使氣血循經而來，故曰，循以至氣。

（7、）攝

下針之時，氣或濇滯，用大指中三指甲，於所屬經分，來往攝之，使氣血流行，故曰，攝以行氣。

（8、）努

下針之地，復出人部，補瀉務待氣至，如欲上行，將大指次指捻住針頭，不得轉動，却用中指，將針腰輕輕按之，四五息久，如撥努機之狀，按之在前，使氣在後，按之在後，使氣在前，氣或行遲，兩手各持其針，仍行前法，謂之龍虎升騰，自然氣血運行，故曰，努以上氣。一說，用大指次指撚針，名曰飛針，引氣至也，如氣不至，令病人閉氣一口，著力努力，外以飛針引之，則氣至矣。

（9）搓

下針之後，將針或內或外，如搓線之狀，勿轉太緊，令人肥肉纏針，難以進退，左轉插之為熱，右轉提之為寒，各停五息久，故曰，搓以使氣。按內經云，針入而肉著者，熱氣因於針則針熱，熱則肉著於針，故堅焉，茲謂轉緊纏針，與經不同。

（10）彈

補瀉之時，如氣不行，將針輕輕彈之，使氣進行，用大指彈之，似左補也，用次指彈之，如右瀉也，每穴各彈七下，故曰，彈以催氣。

（11）盤

如針腹部軟肉去處，只用盤法，兼子午搗臼，提按之訣，其盤法如循環之狀，每次盤時，各須轉運五次，左盤按針爲補，右盤提針爲瀉，故曰，盤以和氣，如針關元穴，先刺入二寸五分，退出一寸，僅留一寸五分，在內盤之，且如要取上焦之病，用針頭迎向上，刺入二分，補之使氣攻上，臍下之病，退出二分。

（12）捫

補時出針，用手指掩閉其穴，無令氣泄，故曰，捫以養氣。一說，捫者因痛處未除，以手捫摩痛處，外以飛針引之，除其痛也。

（13）按

欲補之時，以手緊捻其針按之，如診脈之狀，勿得挪移再入，每次按之，令細細吹氣五口，故曰，按以添氣，添助其氣也。

（）提

欲瀉之時，以手捻針，慢慢伸提豆許，勿得轉動甬出，每次提之令細細吸氣五口，其法提則氣住，故曰，提以抽氣。

十九，通關過節十六法

（1）青龍擺尾

如扶船舵，不進不退，一左右，慢慢撥動，又云，青龍擺尾行氣，龍為陽屬之故，行針之時提針至天部，持針搖而按之，如推船舵之緩，每穴左右，各搖五息，如龍擺尾之狀，兼用按者，按則行衞也。

（2）白虎搖頭

似手搖鈴，退方進圓，兼之左右搖而振之，又云，行針之時，開其上氣，

閉其下氣，氣必上行，閉其下氣，閉其上氣，氣必下行，如刺手足，欲使氣上行，以指下抑之，欲使氣下行，以指上提之，用針頭按住少時，其氣自然行也，進則左轉，退則右轉，然後搖動是也，又云，白虎搖頭行血，虎爲陰屬之故，發針之時，插針地部，持針提而動之，如搖鈴之狀，每次每施五息，退方進圓，非出入也，即大指進前往後，左右略轉，提針而動之，似虎搖頭之狀，兼行提者，提則行衛也，龍補虎瀉也。

（3）蒼龜探穴

如入土之像，一退三進，鑽剔四方，又云，得氣之時，將針似龜入土之狀，緩緩進之，上下左右而探之，（上下出內也，左右撚針也）復云，下針時三進一退，將兩指按肉持針，於地部右盤，提而剔之，如龜入土，四面鑽入，盤而剔者，行經脈也。

（4）赤鳳迎源

展翅之儀，入針至地部，提針至天部，候針自搖，復進其源，上下左右，四面飛旋，病在上，吸而退之，病在下，呼而進之，（吸而右退，呼而左進，此即上下左右也，）又云，下針之時，入天插地，重提至天，候氣入地，針必動搖，又再推至人部，持住針頭左盤按而搗之，如鳳衢風擺翼之狀，以上四法，所謂通關過節者也。

（5、）龍虎交戰

下針之時，先行龍而左轉，可施九陽數足，後行虎而右轉，又施六陰數足，乃首龍虎尾以補瀉，此是陰中引陽，陽中引陰，乃反復其道也，又云，先於天部施青龍擺尾，左盤右轉，按而添之，亦宜三提九按，（即九陽也，令九陽數足，後於地部行白虎搖頭，右盤左轉，提而抽之，亦宜三按六提，（即六陰也），令六陰數足，首龍虎而轉之，此乃陰陽升降之理，任痛移疼之法也。

(6) 龍虎升騰

先於天部持針，左盤按之，一迴，右盤按之，後一迴，用中指將針腰搖之，如撥弩機之狀，如此九次，像青龍純陽之體，却推針至地部，右盤提之，一迴，左盤提之，後一迴，用中指將針腰搖之，如此六次，像白虎純陰之體，按之在後，使氣在前，按之在前，使氣在後，若氣血凝滯不行，兩手各持其針行之，此飛經走氣之法也。

(7)子午搗臼

下針子後，調氣得均，以針上下行九入六出之數，左右轉之，導引陰陽之氣，百病自除，諺云，針轉千遭，其病自消，此除膨膈臌脹之疾也。

(8) 燒火山

針入先淺後深，約入五分，用九陽，三進三退，慢提緊按，熱至緊閉針穴，方可搖針，令天氣入，地氣出，寒可退矣，又云，一退三飛，飛進也，如此三次，爲三退九進，則成九矣，其法，一次急提至天，三次慢按至地，故曰疾提慢按，隨按令病人天氣入，地氣出，謹按生成息數，病愈而止，一說，三進三退者，三度出入，三次，則成九矣，九陽者補也，先淺後深者，淺則五分，深則一寸。

（9） 透天凉

先深後淺，約入一寸，用六陰，三出三入，緊提慢按，寒至徐徐退出五分，令地氣入，天氣出，熱可退也，又云，一飛三退，如此三次，爲三進六退，即六陰數也，其法，一次疾插入地，三次慢提至天，故曰，疾按慢提，隨提令病人地氣入，天氣出，按臟腑生息成數，病自退矣，一說，一度三進三退，則成六矣，六陰者補也。

（10） 陰中隱陽

先熱後寒，深而淺，先針一寸，行六陰之數，寒至便退針五分之中，行九陽之數，乃陰行陽道之理，則先瀉後補也：補者，直須熱至，瀉者，直待寒侵。

（11）陽中隱陰

先寒後熱，淺以深，針入五分，行九陽之數，熱至便進針一寸，行六陰之數，乃陽行陰道之理，則先補後瀉也。

（12）抽添法

針入穴後，行九陽之數，氣至慢慢轉換，將針提按，或進或退，使氣隨針到於病所，扶針直插，復向下納，回陽倒陰，又云，抽添即提按出納之狀，抽者拔而數拔也，添者按而數推也，取其要穴，先行九陽之數，得氣隨吹按添，就隨吸抽提，其實在手動搖出內呼吸同法，以動搖出內呼吸，相兼並施，故曰同法，按謹生息成數效也，此治半身不遂之疾。

（13）調氣

下針至地，復出於人，欲氣上行，將針右撚，欲氣下行，將針左撚，欲補先呼後吸，欲瀉先吸後呼，氣不至者，以手循攝，以爪切掐，以針搖動進退搓捻，直待氣至，以龍虎升騰之法，按之在前，使氣在後，按之在後，使氣在前，運氣走至病所，再用納氣之法，扶針直插，復向下納，使氣不回，若關節阻滯，氣不過者，以龍虎龜鳳四法，通經接氣，而運轉之，然後用循攝爪切，無不應矣。

（14）進氣法

針入天部，行九陽之數，氣至速臥倒針，候其氣行，令病人吸氣五七口，其針氣上行，此乃進氣之法，可治臂腰脚身疼，亦可龍虎交戰走注之病，左捻九，右捻六，是亦住痛之針。

（15）納氣法

下針之時，先行進退之數，得氣便臥倒針，候氣前行，催運到於病所，便立起針，復向下納，使氣不出，又云，下針之後，如眞氣至，針下微微沉緊，如魚吞食之狀，兩手持針，徐徐按倒，令針尖向病，使氣上行至病所，扶針直插，復向下納，使針上行不囘也。

（16）留氣法

用針之時，先進七分之中，行純陽之數，若得氣，便深入，伸提之，却退至原處，又得氣，依前法，可治癥瘕之病。

二十，刺針刺戟之强弱

針治上定刺針刺戟强弱之度，爲最大之要素，猶之醫師，對於醫藥，定其適宜之度量也，例如對於針治之適應症，不當其刺激之度，不能奏效，如何決定，據多年之經驗所得，先要參酌左之事項：

1、患者之體質　2、性之差異，即男女之別　3、年齡

4、病症如何　5、體質營養如何

通常男子比女子能受强刺戟，又生後六個月之小兒，當然不及三十以上年齡之大人，能受强大刺戟，其外多血質，脂肪質之人，通常較神經之人，有因受輕度之刺戟，大受感覺，當至全身發生痙攣，或因腦血管之收縮，起一時性之腦貧血，而有失神等事，故對於神經質之人，宜先施一二次皮膚針之刺激，其後以極細之針，加以較淺而又輕度之刺激。

又對於神經疼，痙攣，痲痺，知覺脫失等病症，應加强大之刺激，對於腹內臟交感神經之針刺，應極緩刺激，患者眠時，應起位爲良，再身體之部位，如顏面手掌等，較之身體他部知覺銳敏，亦宜注意，

二十一，從解剖生理學上之見解對於身體之刺針

通常刺針，刺於身體之經穴，從解剖學上配置，此經穴定身體插針中樞點如左：

（1）頭部疾患

例如腦充血，腦貧血，頭痛，耳鳴等，其第一刺點，在乳嘴突起與項部正中腺之中間（即風池）及第一頸椎乃至第三頸椎，去棘狀突起之兩側五分（約一大指）處求之，以淺層五分內外之刺針，刺激脊髓神經，深層一寸以上之刺針，刺激交感神經上神經節，以上刺點，於便宜上定爲第一刺激點，此第一刺激點，刺激脊髓神經以介達於腦神經，應用於介達作用。

其第一刺激點，在第四頸椎乃至第一背椎棘狀突起之兩側，即各據突起間定之，以淺層五分之刺激，由頸椎神經介達刺激於迷走神經，深層一寸之刺激，刺激中下之交感神經節，故此刺激點主對於腦部疾患行之。

其第三刺激點，在第六乃在第十一背椎棘狀突起之兩側各一寸之所，係交感神經之大內臟神經，由此部位出發，以之治胃腸疾病，爲重要刺點。

其第四刺激點，在第十二背椎乃至第五腰椎，去棘狀突起各一寸處所，淺層五分，目的在脊髓神經，深層一寸五分以上，目的在交感神經之下腹叢，主於於腰部痛及腹部內臟疾患之刺戟點。

其第五刺激點，在後薦骨孔，此刺激點應用於下腹部內臟及薦骨神經之疾病，以上對於全體主要之刺激點，已能會得，今再將四肢之刺激點，說明於左。

（1）上肢之部

主肢主要之神經，既於解剖學修得所謂正中神經，尺骨神經，橈骨神經等，正中神經之刺激，在上肢第一刺激點，即前膊前面正中膘之中央部，橈骨神經之刺激點，在上肢第二刺激點，即橈骨結節之外方去一寸五分（即三里）與手背在食指大指之骨間，即第一掌骨與第二掌骨之間，當於（合谷）之處，此(三里)與(合谷)對於腦疾病或齒痛等，與以誘導反射作用之要點，尺骨神經之刺激骨，在上肢第三刺激點，即尺骨神經溝之末稍部，及上部（少海）。

（2）下肢之部

下肢之主要神經，爲坐骨神經，及其一系之脛骨神經，與腓骨神經，其第一刺激點，在坐骨結節與大轉子之中間，指壓時抗力少之部分，即係坐骨神經之出發點，其第二刺激點，在上脛腓關間之下方二寸處所，『三里』此部對於深腓骨神經之刺激點，其第三刺激點，在下腿內踝之上方二寸五分處所，即內踝之一握上，『三陰交』此即腓骨神經之目的，以上第二第三刺激點，爲腦或腹部疾患之反射及誘導之刺激點。

以上之刺激點，不過示刺針上之規範而已，若夫復雜之病，則須從解剖及生理學與夫先賢所遺有效之實驗上所示經穴，臨機應變矣。

二十二，刺針之健體及病體作用

刺激既以一種金屬，與以機械之刺激，故無何等疾病之健康體，以及刺激之强弱，對於運動知覺及神經，起興奮或痲痹，若對於交感神經，與以適度之刺激，則內臓機能益能亢進，故自人體保健上觀之，對於健體適宜施術，亦可見良好之成績，對於病體，因興奮制止誘導三作用，對於疾病，巧於應用，則疾病可以全治，分述於下：

一，健體之刺激影響

（1.）感覺神經枝　在刺針時，發生如通電之感覺，針如拔出，其感覺立即消失，若與短時間，經刺之刺激，從求心性傳之中樞，從此中樞之細胞，起興奮活潑，因其興奮向遠心性末稍傳佈，於此謂之起反射運動，使其部之筋肉，起收縮或弛緩，而血管，則初爲收縮，繼仍擴張，俾血液循環旺盛，然而若以長時間之刺激，神經之興奮反形減衰，甚至完全消失，遂至傳導機能亦消失，

（2.）運動神經枝　於此刺針之時，其部之筋，發生痙攣，若即去針，痙攣

立止，此種現象，與知覺神經之發現，著名之作用相同，與以短時間之經刺，起興奮作用，長時間之强刺，則與奮性完全消失，反陷於筋肉，起痲痺狀態。

（3）交感神經枝　刺針之時，其部神經所分佈之臟器，起索引様之感覺，去針後，臟器之機能，有若干時之旺盛，故難爲健體，常行此種針刺，於體內益能使抵抗力增强，以達養生之目的。

二，病體之刺激影響

（1）知覺神經枝　知覺神經枝，起有異狀之興奮，其結果處爲神經痛，或知覺過敏，如斯變態，欲使其調節時，宜以針爲持續之强刺激，以制止之，如對於機能減弱之疾患，與以輕而且短之刺激，使其興奮，可恢復其固有之機能。

（2）運動神經枝　運動神經枝，有異狀興奮之時，其神經所分佈之領域內之筋肉，致發生痙攣或强直，若與强烈之刺戟，可發揮鎮靜緩解之作用，如運動神經，因機能減弱，而發生之痲痺性疾病，若與以輕之刺激，可引起興奮，而恢復其常態。

（3）交感神經枝　此神經枝之異常亢進，則引起心臟運動之急速，呼吸促迫，胃腸蠕動增進，各臟器分泌機能亢進等，對於此類以强刺激之制止，可使之復歸常道，反之在交感神經機能減弱之疾病，則以輕刺之興奮作用，可調整其生理的機能。

一十三，針術之適應症

所謂針術之適應症，即施針術後效驗迅速，疾病可以全愈也，因神經系之疾患，內臟機能之旺盛或減衰，而功效特異，今將病名列左：

(1、)消化病　扁桃腺炎，耳下腺炎，胃加答兒，神經性消化不良，胃痙攣，腸加答兒，神經性腹疝痛，痔疾等。

(2、)泌尿生殖器病　腎臟病，膀胱加答兒，膀胱及子宮痙攣，淋病，睪丸炎，尿道加答兒，月經困難，月經過多症，子宮內膜炎，卵巢炎，實質炎。

(3、)血行病　神經性心悸亢進，心胸絞榨症。

(4、)神經系病　各種神經痛及衰弱，各種官能疾患，各種痲痺。

(5、)運動器病　筋肉痲痺及攣急，關節及筋肉僂痲質斯。

(6、)小兒病　夜驚症，消化不良，小兒癇癲，遺尿症。

(7、)眼科　眼膜及單純性結膜炎。

(8、)其他腳氣，中風症。

二十四，刺針之禁忌點

身體中何處應可刺針，不能不有所差異，今將刺針危險之所稱禁忌點，舉之於左：

(1、)延髓部乃司生活機轉，有重要之中樞部，故名生活點，此部若誤深刺，刺戟延髓，有關生命，

(2、)眼珠不可直接刺針。

(3、)睪丸不可刺針，但熟於刺針術者，如無差異，則刺睪丸炎等，可奏驚人奇效。

(4、)小兒之大小百會。

(5、)大血管之淺在部。

(6、)胸腹部貴重內臟之直達針刺。例如：喉頭，氣管，心，肝，脾，肺臟等。

二十五，針術之不適應症及禁忌症

針術之不適應症，即施針後病象不奏功效之症也，禁忌症，即施針後非特不見何等效果。反覺有害者也，不適應症，如心臟瓣膜障礙，皮膚病，急性熱性之疾病，梅毒，血液性等疾患是。禁忌症，如惡性之腫瘍等，又如炎腫，法定傳染病，破傷風，丹毒等疾患皆是也。

二十六，暈針之處置

腦貧血症，胡曰暈針，危險殊甚，故下針前後，應有深切之注意，如不甚而發生暈針，則宜急速之救治，萬不可驚惶失措，忽於處置也。先言病理，神經衰弱者，與貧血者，下針捻撥，神經猝受刺戟，直射腦部，全身微血管急縮，尤以頭部爲甚，血壓速往下降，腦部遂形成急性貧血，於是腦之機能猝退，甚至全失心臟機能，亦急速減退或竟停止搏動矣，暈針之情狀，輕者頭暈眼花，惡心欲嘔，心悸亢進，重者顏面蒼白，四肢厥冷，汗出淋漓，甚至脈伏心停，知覺全失，呈驚人之危狀。

暈針之救治，則不外重復刺激其知覺神經，使腦神經興奮，而復其機能，總樞一開，百機皆動矣，其法維何，即發覺患者已呈暈針狀態，立即停針退出，如坐者，將其臥倒，一方掐其中衝，或人中不釋，使其感受劇痛，一手按其脈搏，如脈搏尚有者，但掐中衝，並飲以熱水，若脈搏已伏，心臟欲停者，則以刺針人中中衝，並行人工呼吸法，至脈出而止，靜臥片時，頻飲熱湯，不久即可恢復常態矣。

二十七，出針困難之處置

施術中，時有發生出針困難之事，一爲體位移動，致針體屈曲，二爲針身有傷痕，筋纖維纏之不脫，三爲內部運動神經，猝起興奮，起筋肉攣急，吸住針身，吾人欲解決出針之困難，必先識別其屬何種原因所致，於是與以適宜之處置，如不問其原因，而强力拔之，徒使病者感受疼痛，非惟仍不能出，且有折針之患。

識別及處置之法如何，曰針難捻動，深進不能，退出亦不能，屬第一之針身屈曲，急矯正其體位，再探求其屈度與方向，如針柄角度未變，乃爲小屈，以左手大食二指，重按針下肌肉，右手持針柄，輕微用力提出之，若針柄偏側者，則曲度較深，左手二指，不可重按，右手起針，須順其偏側之方向，輕提輕按，一起一伏，兩手相互呼應，則針可得而出矣，用力强拔，是乃大忌。

針身可以捻轉，而提起或深下覺痛者，屬爲第二之針身有傷痕，宜反其方向而捻動之，於拔轉之中，上提下插，反往行之，覺針下疏鬆，即可拔出，若較前僅可多退，猶不能全部拔出者，再依前法施之，如引針時，痛感比前大減者，可如第一點法，微用力拔出之。

如覺針下沉緊，捻動困難，按其肌肉結硬者，屬第三點之肌肉痙攣所致，當將針再深入二三分，行强雀啄術，如仍攣急不散者，則另以一針或數針，於其附近之下，行中等度之刺激，則出針之困難，可立即解决矣，如病者不欲從旁再下針者，則以爪切其四週，或揉撚之，使異常興奮之運動神經鎮靜，緩解其强直之筋肉，其針自易出矣。

二十八，折針之處置

此事不常有，以其針絲堅柔，不易折也，如或有之，必因針身已有傷痕，醫者疏忽未檢出，病者復不守醫戒，而移動體位，或醫者用强刺激時，病者之筋肉，突起攣急强直，遂至針折於中，此時醫者之態度宜穩靜，並告病家不必心懼，務要安然使體位不稍動，醫者左手，重壓針孔之四週，使其內中之針外透，如見內中之針於皮膚發現時，以爪取出之，如在皮下，可按得而不外露者，以指按準針端，以刀消毒，微剖開其皮，檢視針端，而攝出之，若在深層者，則任其自消，不必攝取，雖在一二日中發生疼痛，大約經過三四日，即可平安無事矣，就日人之實地研究，謂針在筋肉中，經過相當時日，自行消滅，或行移別部，其說如左：

(1)酸化說　由體溫之關係，針起酸化，而行自消。

(2)移動說　折針由於筋肉之運動而避走，其比較運動稍純之部，則久久停留，而後自消。

二十九，出針後之遺感覺之處置

通常刺針之中，發生痠痛感應，即刺針之感通作用，出針後立即消失，然有時依舊疼痛，持續一二日始失者，此謂之針之遺感覺，此由於醫者手術之不良，與以極強之刺激，或以施術中患者發生搖動，知覺神經纖維，受過度之刺激，該部神經發生異狀之所致，其遺感往往經一二日後，得消失，於斯場合，於施術後，在局部或附近，與以按摩輕擦，或於其相離尺餘處針之，其遺感即消。

三十，出針後皮膚變色及高腫之處置法

出針之後，時有小紅赤點，在針孔部位發現，或皮膚呈青色而高腫，患者感覺痠重不舒，此乃針傷血管之所致，在十數小時後，自然平復，但吾人欲促其速愈時，可與輕擦按揉，在數小時後，可消散於無形。

三十一，針尖刺達骨節時之處置

在刺針時，覺針尖刺達骨節時，宜急速提起數分，或提至皮下時，轉其方向而入之，否則針失屈曲，不能出針，且傷骨膜，有發生骨膜炎之慮，施針時，不可不細心注意也。

精繪針灸經穴掛圖再版通告

特價七千元

研究針灸者閱之可矯正過去之弊‖未學習針灸者閱之可辨穴用針治病！‖分贈熱心社員‖凡本社社員能介紹二十人入社者即贈該圖一全套‖

精繪針灸經穴掛圖因輪廓精晰，穴道準確，故第一版巳售完，現特再版印行並將骨骼，穴路，禁針穴，禁灸穴，某穴屬于某經等繪得異常精晰準確，圖形像眞如活，較任何掛圖均爲精美，故其精彩美觀，尤適合懸掛書齋之用，誠近世針灸科之巨著。研究針灸者及醫家不可缺少惟一之掛圖也，全套四巨幅，用八十磅宣紙彩色印行，定價九千元玆普及針灸學術特先發行特價只收七千元（掛號寄費另加一省各地欲航寄者，另加航寄費四百元）本社爲奬勵熱心社員起見，特訂贈送辦法：

奬勵贈送社員辦法

㊀凡本社社員能介紹社員二十人入社即贈送一全套，㊁各地分社長分社籌備主任亦得享受此權利，㊂掛號航寄費由受贈者附來，㊃凡本社讀者能照上辦法介紹者亦得享受贈送之權利。

針科學講義

全一册

中華民國三十五年九月十五日三版

編輯者　中州　楊醫亞

出版者　中國針灸學社

發行者　國醫砥柱總社

印刷者　國醫砥柱總社印刷部

中国灸科学（杨医亚）

提　要

一、作者小传

杨医亚，见《针科学讲义》（杨医亚）提要。

二、版本说明

《中国灸科学》，1937年刊行，1946年修订（第三版），1952年已经出版至第六版，惜各版未能全部得见。

三、内容与特色

全书分19章，主要论述艾灸防病治病的作用与方法。

第一章阐述灸术的定义，指出艾灸可增强抵抗力，既能防病，也能治病。第二章阐述艾灸的种类，指出艾灸可分为瘢痕灸、无瘢痕灸和特殊灸3种。第三章讲施灸的原料，对艾蒿是“灸治之要品”做了解释、试验和说明，对艾的效能、制法和艾绒的保存方法做了详细说明。第四章阐述灸的生理作用，主要阐述灸法对于血液、血管、血压、肠蠕动、神经系统、精神的影响或作用，以及灸与蛋白体疗法。第五章阐述灸的刺激作用，包括诱导刺激作用、直接刺激作用和反射刺激作用。第六章阐述对健康人施灸，可促进血液循环，增强全身组织的新陈代谢，进而增强抵抗力，起到防病健体之作用；对病体施灸，可在促进血液循环、增强新陈代新的同时，又有同蛋白体疗法一样的作用，以治愈疾病、强身健体。第七章介绍灸术的应用，指出不同人（如小儿和衰弱者、男人和女人、胖人和瘦人、敏感体者和非敏感体者、有施灸经验者和无施灸经验者、患不同病证者、筋肉劳勤者和营养不良者）应选择不同大小的灸炷、不同的壮数。第八章阐述施灸的方法，指出施灸前需根据不同体位点出腧穴的位置，且不可移动体位。第九章阐述施灸前后的准备和注意事项，指出施灸前需检查施灸用具（如治疗椅或治疗床、点穴笔和艾绒等）是否齐备，同时检查消毒用具是否齐全；施灸结束后亦应严格按要求操作，以防止细菌等的感染。第十章阐述施灸时的注意事项，对医者的态度和施灸室的位置、施灸室的光线和温度、患者隐私的保护和施灸过程中不同阶段的操作要求进行了详细说明。第十一章阐述瘢痕灸的操作和要求。第十二章阐述瘢痕灸的善后和用药，同时写明中药生肌玉红膏的方药组成。第十三章从操作过程和灸后处理两方面，阐述防止瘢痕灸后化脓的方法。第十四章阐述灸法的适应证，认为灸法对肺结核、淋巴腺结核、肋膜炎、腺病性体质等有明显疗效，同时对神经系统疾病、消化系统疾病、知觉运动系统疾病、炎症性疾病、妇科病证、筋肉痉挛、五官疾病、支气管疾病等有特殊的治疗效果。第十五章阐述灸法的不适应证及禁忌证，包括法定传染病、急性盲肠炎、急性腹膜炎、伴有高热的急性炎症、破伤风、丹毒等，并指出眼球、睾丸、大血管的深在部位、心脏部位不可多壮施灸，妊娠五个月以上的妇女下腹部不可多壮施灸等。第十六章阐述灸炷的大小及壮数应根据患者的年龄、性别、体质和病证确定。第十七章阐述施灸点的选择及取穴法，指出解剖学、生理学对取穴具有极重要的作用。第十八章阐述熨引法即“以药物熨帖而按之，或摇动其筋节为导引也”，指出熨法分为酒熨、铁熨和葱熨。第十九章阐述灸法的种类，包括普通灸法、药物灸法、隔蒜灸法、黄蜻灸法、附子饼灸法、隔豉饼灸与蛴螬灸法、黄帝灸法、扁鹊灸法、窦材灸法、灸膏肓法、灸一切冷气法、灸痔漏法、灸目疣法13种。

现将该书特色介绍如下。

（一）内容详实，实用性强

全书共19章40节，其中第一章、第三章、第四章、第六章均从灸法的生理作用方面阐述其防病治病的机制，内容详实、通俗易懂，可指导民众居家保健，对临床治疗具有指导意义。

（二）注重灸后调护，参考性强

该书第十一章、第十二章、第十三章重点阐述了瘢痕灸的操作、善后和用药以及预防瘢痕灸化脓的方法，对临床治疗具有重要的参考价值。其中的生肌玉红膏沿用至今，疗效显著。

（三）列举病证，指导性强

该书第十四章、第十五章详述灸法的适应证、不适应证和禁忌证，对临床治疗指导性较强。在民国时期，该书对灸法适应证、不适应证、禁忌证的阐述已近乎完善，非常难得。

（四）种类齐全，借鉴性强

该书第二章、第十八章、第十九章所述灸法的种类极全，不仅包括常用的普通灸和隔物灸法，还包括黄帝灸法、扁鹊灸法、窦材灸法和黄蜡灸法等。这些内容对后世研习灸法具有重要的意义。

中國灸科學

楊醫亞醫師編輯

1946

北平中國針灸學社出版

北平國醫砥柱總社經售

研究中醫藥界的同志們——

欲費極少之金錢！
收獲無窮之利益！
無防職業之牽制!!!
能得名醫之指導！
欲求醫學之疑問！
盡有滿意之解決！

惟有加入國醫砥柱總社——

歡迎入社
歡迎定刊
歡迎介紹
歡迎投稿
歡迎批評
歡迎各地
熱心醫藥
人士組織
分社
詳細章程
函索即寄

人人注意

精製 標準醫用毫針

製造精細
便於消毒
質耐堅用

市上所售醫針，因製法不精，率多粗糙而不耐用，更使患者感覺痛苦，令人視為畏途，此針係經專家遵古煉製，用科學方法製造，針鑄精細，便於施術，奏效敏捷，且病者毫不感覺痛苦，遠非市上售者所能比，每套計一寸一寸半二寸，二寸半，三寸，大小五種，共針十五支，外附大小三稜針二支，每套售價為一千元，寄費三百元，社員九折，若一次購十套以上者，可按八折計算之（毫針計分粗條細條兩種，故購針時請注明要何種針條）

國醫砥柱社總售

時逸人醫師編著
楊醫亞醫師校閱

中國婦科病學出版

—將二十年之經驗積數年之心血始成此書—
—能讀此書對診治婦科病症可立收奇奇功—
本書共分三篇如經行概論，行經各論，胎產各論，因胎產而致之胎前病，妊婦自生之胎前病等，根據科學方法，均述其病原，病理，症候，診斷，治法，處方，皆以合乎實用為依歸，全書博而精，簡而約，凡經帶胎產諸病，均有各家專科秘方良法，實初學必讀之書，醫家必須精研之專書，每部定價四千元，航寄另加二千元。

北平宣外米市胡同乙五十二號

中國灸科學

1 普通灸法
2 藥物灸法
3 隔蒜灸法
4 黃臘灸法
5 附子餅灸法
6 隔豉餅灸與蠐蜡灸法
7 黃帝灸法

8 扁鵲灸法
9 竇材灸法
10 灸膏肓法
11 灸一切冷氣法
12 灸痔漏法
13 灸目疣法

中國灸科學

中州楊醫亞編輯

一，灸術之定義

何爲灸術，曰以持製之艾，在人體一定之部位，所謂一定之經穴點上，燃燒之，發生艾持有之氣味，與溫熱之刺激，調正生活機能之變調，且增進身體之抵抗力，而與病之治療，及預防之一種醫術也。

二，灸術之種類

灸術大別分爲有瘢痕灸，無瘢痕灸，及今之特殊灸三種：

1有瘢痕灸　在人體一定局所，即施灸點處，捻指頭大之艾葉，置於施灸點之皮膚上，於線香之火燃燒艾葉，使皮膚上起一種火傷，並生一種之瘢痕，此種施灸方法，普通民間療法多行之，此之謂有瘢痕灸治，若施灸點化膿時，其殘留之瘢痕亦稍大。

2無瘢痕灸　不直接起皮膚上之火傷，用種種方法，使間接在皮膚面與以適度之溫熱之刺激也，舉二例如下：

一，蒸灸，製圓筒狀之低袋，其中置下等之艾，適如壞爐灰之形，一端點火燃燒，在皮膚面置紗布於其上，燃燒部恰當目的部位，加以適當的溫度，以達治療之目的。

二，金屬性之溫灸器，形如枝杓，於其中置艾或炭火，器物之下面，以紗布之類包之，此目的直放於身體之皮膚上，與以適度之溫熱，觀以上所述，對於無瘢痕灸之意味可明瞭矣。

3 特殊灸　以廣義言之，亦屬無瘢痕灸之一種，以其方法特殊，故另爲區別之，約舉之如左：

一，水灸，以左之處方，成爲藥液，以細棒塗布之。

龍腦一錢，薄荷腦二錢，酒精適宜，三味或加硇砂精一錢，白礬一錢，樟腦二錢，以上諸藥混合溶解。

以艾薄薄平展，點火緩和灸之，使與皮膚以溫熱的刺激，亦屬一種方法。

二，醬灸，在局所置醬其上，置艾點火灸之，使加以溫熱之方法也。

三，墨灸，以左之藥品，塗佈於施術部，其上置艾，點火灸之，黃栢五錢放入一合之水中，加以緩火，煎爲五勺，和以濃液之墨，其中更加麝香一錢，龍腦米粉各二錢，混合溶和，塗佈手術點。

四，漆灸，用生漆十點，蔴油樟腦油十點，混合包含於艾中，恰如肉池然，然後以細棒塗於手術點。

又法，用黃栢煎汁，加乾漆一錢，明凡十錢，樟腦五錢，混和之浸潤艾中，以細棒塗佈於手術點，亦屬一法。

(注意)此漆灸由於人之漆灸，感漆之毒，施灸後不甚發熱，而全身皮膚，則呈赤色。

五，鹽灸，在施灸局所，塗食鹽在其上灸之方法也。

六，紅灸，以食料紅塗佈於皮膚上之方法也。

三，施灸之因料

灸必用術，以其性溫而降，能通經絡，治百病也，然則古人早知艾之作用，始以之作灸炷耶，曰是又不然，艾蒿遍地皆有，可爲燃料，引火最易，且氣味芳香，聞之可以淸心興腦，古人取火不易，當必以之爲火種，因其易燃，於是作用灸炷，試之久而驗之效，乃爲灸治之要品，後之學者，乃就其功用，而推測其性狀如下也。

就學者之推測與研究，艾屬菊科植物，爲多年生草本，我國各地皆產生，春季發生新芽高二三尺，葉形似菊，表面深綠色，背面呈灰白色，有絨毛，葉與莖中有數個之細胞，具有油腺，發特有之香味，夏秋之季，於稍上開淡褐色之小花，爲筒狀花冠，作小頭狀，花序排列，微有氣息，但不入藥用，入藥或作灸炷者，乃爲艾之葉，每於五月節時採之。

1 艾之效能：溫氣血，驅寒濕，調經，安胎，止諸血，觸腹痛有疏解强壯之效，用作緩性通經藥，又爲逐蟲解熱藥，及近用作消化不良藥。

2 艾之製法：凡使艾葉，須乾。去青滓，取白，入石硫黃末少許，灸家用之，得粉米少許，可搗爲末，入服食藥用，李時珍曰，凡用艾葉，須得陳久者，治令細軟，謂之熟艾，若生艾灸火，則傷人臟脈，故孟子云，七年之病，求三年之艾，揀取淨葉，揚去塵屑，入石臼內搗去滓，取白者再搗，至柔爛如綿爲度，用時焙燥，則灸火得力。

3 艾絨保存法：艾絨最易吸收空氣之濕氣，灸時不易着火而痛增，故取得艾絨之後，應置於乾燥箱中而密蓋之，於風和日暖之天，取出晒之，約二三小時，後復密蓋之，日常施用者，取出一部分，置於小匣中，用完再取，則大部分不致有受濕之慮矣。

四，灸之生理作用

灸術爲一種溫熱刺激療法，可無疑也，然由灸治而及於全身體生理之作用者至多，茲略分述之於下：

1 灸之及於血液與影響

東京帝國大學醫學部原田等醫學士之實驗，由家兎實驗所得之成績，先於各家兎之血液中之赤血球平常數，算定回數，而後施灸，其後第二日，乃至數週間，計其血球數之變化，其檢查時間，常在午後三時，其食物常注意避白血斑增加之影響，五五次試驗，而總括結果，灸後二分間以內，採取血液中常見白血球之增加多者，約達二倍，少則增加百分之三四，至第二日。一度復其平常，其灸部貼膏藥處化膿，再見白血球之增加，其增加之度，與化膿一致，而其赤血球，則在灸後或增加，或減少，常無一定，此依灸而增加白血球，對於治療各種疾病上，達如效驗，尚無充分之研究，不敢斷言，要之，此白血球對於炎症性疾患之治愈轉機，極關重要，此就病理學上而言，又白血球營有毒性新陳代謝物之破壞排出，而白血球因灸治而增加，亦屬不能逃免之事也。

2 灸之及於血管與影響

從知覺神經之刺激，及於反射於血管神經之擴張，或收縮等之作用，今言灸之及於血管如何作用，由兎之實驗，在其皮下注「哭來落」，以止總隨意運動之，其蹼膜之準毛細管動脉，用顯微鏡照測其幅，次在同側或反對側之上，上腿部或胸部之中，用切艾施灸，其血管先初縮少，其後漸次擴大，而血引同時亦著旺盛，此可證明血行不論何時停止，而在毛細管依灸之刺激，再明開始循環，此從蛙之實驗而得，確認腸間膜之血管同一變化。次就家兎之耳附着部近處，以切艾施灸其部之血管，於極短時間縮少，其後則强擴張，依照以上之實驗，以灸而激其溫熱之刺激，先反射之功脉縮少，其後以反應之擴張，其血管擴張之度，在施灸組織之近傍爲最著，人體亦來血管縮少及反應之擴張，其最著充血者，肉眼能目擊之。

3 灸之血壓及作用

由於以上之實驗報告，而明灸爲血管作用之事，旣爲血管作用，則及於血壓影響，亦屬當然之事矣，故欲確知此種關係，先就五次之家兎實驗。知其施灸後必有多少之血壓昇騰，其時動物感溫痛，同時血壓急急上升，刺戟去後，短時間漸次下降而復舊，其上昇之度，依於各個之動物及其他不明之原因，而有差異，艾炷極小時，其上昇之度少，艾之燃燒速時，其上昇之度大，實驗所得，最強上昇水銀壓上得一〇〇密利米突，最低爲一〇密利米突。

血壓上昇之間，心動多緩，且呼吸深，就人體灸後血壓影響十二名之患者，應用沙氏血壓計檢測其最著者，實上昇三十二密里米突，最小爲五密利米突。

4 灸之血壓及作用

剔去家兎腹部之毛，於其部得明見腸之蠕動，此由於目擊之實驗，即腹部之中央，灸一個者，多引續一回之蠕動，其蠕動之不小者，同時腹部亦明見其高，同時呼吸數亦漸增加，灸後之蠕動間隔一二次，大概要較長時間，其後平均，灸前十分間，蠕動十八次半，灸後十五次半，又攝取食事，則蠕動高，施灸時多引續一回蠕動，灸後一二次之間隔，要較長時間，其後蠕動較少，故灸家兎於食後則蠕動高，通常不見多少減少，從通常高之數觀之，則見減少。

5 灸之吸收作用之促進

施灸後既如前述，血管擴張，血壓高，血液及淋巴之循環旺盛，而種種滲出物之吸收，亦能促進其他愈着性之疾患，亦有融解作用。

6 灸之神經系統及作用

施灸之神經系統及其影響，由於神經之種別而異，即依於知覺神經之興奮，而疼痛過敏者，能制止疼痛，對於此知覺神經之興奮疼痛制止之理由有二說，一爲醫魯氏之溫熱刺激者，對於知覺神經之興奮，有制止之動作，今又有一說，爲皮魯氏所謂，溫熱刺激者，良其血液循環，刺激神經之末端，除其疼痛所有之害物質，即直接止痛也，此兩說同屬。爲止痛作用，其理解亦無差異。

7 灸之精神的及其作用

灸治爲溫熱刺激中，與對方以最強印象，施灸之度頻頻者，對於感覺之抵抗力，同時亦强，猶之自信力，决斷力，或道德的精神高者，行冷水浴之有同樣之效果，但亦有由灸刺激，而生新疼者，原來之痛，亦生不快感，此係抑制此等感覺作用之故，又灸點若偉大，效果亦大，所謂暗示作用，在病者愈有力也。

8 灸與蛋白體療法

考之施術與白血球之增加點，及其他血清作用點等而觀之，則灸者與血液中發生或種抗毒素，恰如「滑苦精」血清之注射療法，同一作用，此則近時從學理的立塲而能明之。

從來施血清或「滑苦精」療法之際，考其隨伴者，不過一種蛋白體，依近時學者之研究，即名蛋白體療法，或非特殊性刺激療法，而諸學者間亦宣傳之，此蛋白體療法，即蛋白質非經口之輸入，而依注射等輸入血中，而生活體之疾病治愈轉機，起種種作用也，今舉蛋白質非經口之輸入，即由注射輸入，對於生活體之影響如左：

（1）發熱，此必然的無之，已經多人證明。

（2）血液，能增加白血球及血小板。

（3）血清之變化，免疫素增加，殺菌力强大。

（4）血液之化學的變化，促進血液之凝固作用。

（5）腺之分泌作用抗進，即乳汁分泌增加，淋巴增加，胆汁增加，胸腺，脾臟，淋巴腺等細胞之核分裂作用增强。

（6）結締組織之再生作用。

（7）血液增加糖量。

（8）對於皮膚之毒物，增大抵抗力。

（9）新陳代謝之機能旺盛。

以上所稱蛋白質之作用，起於非口經之輸入，與X光線照射，溫浴療法，發泡藥等之起皮膚作用，同一作用，亦即施灸與蛋白質之注射，起同一作用，何故而云然，蓋灸之溫熱的刺激作用，及於直接生體，又此溫熱的刺激，從生活體之蛋白質遊離，生蛋白質類似之分解產物，結果如何，可確然判明矣。

五，灸之刺激作用

前論刺為溫熱的神經刺激之一，此刺激作用有三：

1 誘導刺激法

誘導刺激法者，從其有關係之隔離部位施灸，關於患部充血，或鬱血而起之炎症疼痛等疾患，以刺激其部之末稍血管神經，而誘導其血液流散，以調整其神經之變調，達治療之目的之一種方法也，如對於腦充性之頭痛，施灸於肩部背部之末稍，以擴張此部之毛細血管，以誘導腦之血暈，使腦之血量減少，或如對於因子宮機能之充血性抗進而疼痛，則在其腰部或者下肢末稍部施灸，以擴張此部之血管，起下腹動脉異狀，又如對於深部之充血炎症，在其近傍部施灸，以擴張表在之毛細血管等。

2 直接刺激法

此則在疾患之局部，直接用灸，以刺激其內部之知覺神經，使其傳達中樞。以興奮中樞之神經細胞；更於中樞移於運動神經，使之興奮，使其局部之血管擴張，增加血液之量，而盛其組織之新陳代謝，抗進其對於浮腫及炎症性疾患者滲出物之吸收，以正復其疼痛痲痺，知覺異常之治愈。

3 反射刺激「又名介達刺激法」

此對於直接疾患不能與以局部刺戟，如內臟疾患或深在之神經等，從解剖學上所見，施灸於其中樞，或偏於患部，與以間接刺激之方法也，例如胃消化作用減衰，則刺激於第六乃至第十一背椎神經，傳其刺激於交感神經，以正復胃之消化機能是也，又如腎臟之分泌機能減弱，則刺激於上部腰椎神經，傳導刺激於各處之交感神經，以發其分泌機能之興奮是也。

六，灸之健康及病體作用

灸之健康作用，與所謂灸之生理作用，同一意義，則施灸於健體是也，從灸炷而發溫熱，爲一種理學之刺激，從中樞神經系及自律神經系統作用等，而高神經之興奮性，加强各神經之作用，則於自律神經之支配下，對於各內臟之活動性高於各種之腺，因之內分泌之機能亢進，或制止血管神經作用，結果血管擴張，旺盛身體之血液循環外，更能增强全身組織之新陳代謝機能。

其他白血球之增加等，與前述蛋白體療法，同一效果，結果身體之抵抗力强，對於各種病之襲來，能爲預防人生，永爲無病健康之生涯，實乎生最大之幸福也，今昔時異世遷，無論何事，咸有歧異，往昔長命耆年，隨處可見，此等長命之人，均能注意於營生之法，施灸亦其中之一大原因，俗歌云，「朝起起身多轉動，少食灸多爲忠孝，」常有三里灸，二日灸等以施灸於三里膏肓絕骨或三陰交(任何穴所)等。

又灸治之病體作用，如前云。爲直接反射誘導之三刺激作用，應用各種疾病，而巧於應用此刺激作用，以治愈疾病而奏效果之外，與蛋白療法同一效果，故血液中或種之抗毒素，以對於各疾病强其抵抗力，而導其治愈疾病。

七，灸術之應用

不論何種灸法，當應用於臨床之時，然病者必先有一番之考察，男女年齡體質，疾病輕重，及受灸之有無經驗等，然後定灸炷之大小，軟硬壯數，與以適度之刺激，不使太過，不致不及，若太過失度，不特效果不奏，疾病亦成惡化，今爲便於初學計，定其適度之標準如下：

1 小兒與衰弱者　炷如雀糞，十歲前後之小兒，以五壯至十壯爲度，大人灸炷如米，以五壯至十壯爲度，灸穴以五穴或七穴爲適當，多則灸多，反令發生疲勞。

2 男女之分別　男女灸炷無壯數，可以稍多，普通男子勝任力較女子爲大也。

3 肥瘦之不同　肥人脂肪較多，肌膚壅厚，傳熱不易，感艾氣不足，壯炷亦較瘦者爲多，炷大如米足矣。

4 敏感性與遲鈍性者　對於感受性之敏感者，當灸炷燃至中途時，即移去之，重更一枚，候燃近皮膚即去之，反復更換，至着膚爲止，灸小兒亦須如此，遲鈍性者，炷宜稍大。

5 施灸經驗之有無　關於未經施灸，初起亦宜小炷，壯數亦宜少，以後逐日增加。

6 病症之狀況　凡病屬亢進性疾患，如疼痛痙攣抽搐等，炷亦稍大，壯數亦多，虛弱症候，機能減退，痲痺不仁，痿弛無力，宜小炷而壯多。

7筋肉勞動者　比精神勞動者，其炷亦大，壯數亦多。

8營養不良者　壯炷亦小而數適中，大炷則絕對禁忌之。

上列八條，係參考日本各書所定者，不能云爲詳盡，壯炷大小，施灸壯數，應須視病之種類，與病者之環境，及精神而變通之。

八，施灸之方法

灸法與針法，手術不同，灸必先以墨點穴，然後行灸，坐點則坐灸，立點則立灸，取穴既正，萬不能移動姿式，明堂云，坐則勿令俯仰，千金方云，若傾側穴不正，徒破好肉耳，余謂好肉雖傷，於體亦有小益，惟與灸之目的，不能直接達到耳，灸與針，雖方法不同，手術互異，而目的則殊途同歸也。

九，施灸之前後

十九世紀之前，顯微鏡未發明，細菌未發現，不甚注意消毒，近來醫學進步甚速，凡百病症，幾無不有病原菌所感染而成，消毒之學，清潔之法，乃爲世所注意。針灸之術，可謂屬於創傷治療，如不嚴密消毒，難免細菌不乘機進攻，故當施灸之前，應有二種之預備：

甲　施灸用具之預備，坐則須椅，臥則用床，點穴之筆，燃燒之艾，引火之香，皆不能有所缺一。

乙　消毒之預備，從簡單之方面言，綿花，石炭酸水，爲必具之品，預備既竟，術者手指，應先自消毒，然後爲之點穴施灸，灸畢之後，以綿花擦去其灰，復以棉花蘸石炭酸水於灸點上，及其周圍擦之，可防止細菌，從創傷之處侵入也。

十，施灸上之注意

施灸之際，患者之姿式既正，而醫者爲施術上之便利，亦須採取適當之位置，且施灸直接着於肉體，不若針之尙可隔衣施術，故醫者之態度，亦宜謹嚴沉着，乃爲最要，施灸之時，初灸二三壯，艾炷亦小，當火將着肉時，按壓其周圍，以減少其灼熱痛感，後數壯，以右手中指，輕撫其周圍即可。

施灸室之選擇上，亦有注意者二：

甲　爲光線充足，窗明几淨，與室外有障隔，避免外人之窺視，非有所秘密，不可宜洩也，我國重視禮貌，以袒裼裸程爲可羞，爲病者設想計，不能不如是也。

乙　爲室內之溫度，夏秋之間，氣候爲溫暖，袒呈受灸，原無感受風寒之弊，若在春冬，氣候寒冷，解衣不甚，即患感冒，若爲長時間之裸背袒胸，則一病末去，一病又起矣，故宜有火爐，以調節室內之溫度，决不可草率爲之也。

十一，灸痕化膿之理由

直接施灸，不論壯數之多少，必起一水泡，不論水泡之大小，如以其癢感而抓破之，化膿菌因而潛入，遂起化膿作用，此爲化膿之一，如灸後水泡之大者，雖不抓破，亦必化膿，乃以其內部組織，爲灸火所傷，惹起炎症，產許多之分泌物，貯留於泡皮之下，一時不易乾滲，吾人以行動上之關係，易使其破壞，引起化膿之症狀也，此爲化膿理由者二。水泡之小者，似乎不皆化膿，蓋以其範圍小，而炎性產出物甚少，最易乾燥而結痂，肉芽之形成，可以迅速也。

十二，灸之善後

灸後化膿，最爲禁忌，或有因痛苦以手壓之者，最易成膿，宜切戒之，使有無知，失所保護，致灸痕化膿者，可停止數日，即能自愈。

艾灸壯數過多，每每發生潰膿，方書中每謂不潰膿則病不愈，蓋亦未必盡然，惟灸至潰膿，艾力已足，病痼當除，未潰者，往往以艾火之力未足，每留病餘，昔人每以灸而不潰，用葱等熨法而使之潰，不知艾火力之不足也，潰膿之後，日以葱湯洗之，生肌玉紅膏蓋之，自然全愈，惟潰膿之後病尙未愈，當候潰愈後再灸之。

生肌玉紅膏　當歸二兩　白止五錢　白蔥二兩　輕粉四錢　甘草一兩二錢　紫草二錢　血竭四錢　痲油一斤

先將當歸白止甘草紫草四味，入油內浸三日，大鍋內慢火熬微枯，細絹濾淸，將油復入鍋內煎滾，入血竭化盡，次下白蔥，微火化開，即行離火，候將凝，入細而輕粉而均和之，用紙攤貼患處。

十三，灸痕化膿之防止法

灸痕之所以化膿，於前已言之、吾人旣知其原因，爲抓擦破後所感染化膿菌之關係，與火傷範圍過大，易於擦破之關係，如就其原因而加防範，則化☉潰爛之事，使之不發生，亦甚易易。

甲，避免大炷，凡宜以强刺爲目的者，則不妨多加壯數，注意灸痕之不使擴大，則火傷之範圍小而水泡亦小，炎症性之分泌液汁亦少。

，痂皮易於乾燥，而成破蓋。

乙　於灸後，注意消毒，發生癢感時，絕對不與抓擦，如因不甚而擦破時，即重行嚴密消毒裹緊，如是決無化膿潰爛之事發生矣。

十四，灸之適應症

施灸既如前述直接，反射，誘導之三作用之刺戟，不外佳良血液之循環，與一種之蛋白體療法，奏同一功效，故對於肺結核，淋巴線結核，肋膜炎，腺病性體質等，現偉大之效果，其外治一切神經痛，筋肉之痙攣等，知覺運動之痲痺，反依於自律神經系統作用之神經性消化不良，腸之運動機能減弱，而來常習便秘，又因其他充血而生之疾病，則種種炎症，子宮內膜炎，卵巢炎，胃腸加答兒，鼻，口腔，喉頭，氣管枝加答兒，氣管枝喘息，其他淋病以及從淋毒而來之諸疾患，脚氣筋肉關節僂痲質斯等，能有特別之效果。

十五，灸之不適應症及於身體之禁忌症

灸之不適應症，即施灸不奏效，或有時而來有害之疾病也，世之言灸術者，分爲不適應症及禁忌症二項，其意義無何等相異，但禁忌症施灸後，非特不奏效，而反多疾患，而不適應症則不加疾患耳，例如法定傳染病，（虎力拉，赤痢，腸窒扶斯等）急性盲腸炎，急性腹膜炎，凡件以高熱之急性炎症，諸種炎腫，破傷風，丹毒等是。

於身體之禁忌點，不可灸之部位，與針術之不能深刺身體之內部相同，若施灸其部位，必有大害，玆舉禁忌之部位如左：

（一）眼球，（二）睪丸，（三）大血管之深在部，（如橈骨動脉之下端，總頸動脉之分岐），（四）心臟部之多壯施灸，妊娠五月以上之婦女，下腹部之多壯施灸，以上皆爲宜禁忌之部位。

其他如顔面，手部等施灸，外面表現醜惡之瘢痕，有傷人體之裝飾美，可避者避之爲良，其外延髓部之多壯施灸，亦屬有害。

十六，艾灸之大小及壯數之決定

行灸治上，對於灸炷之大小及壯數之决定，最爲重要，就之普通醫師，應各患者而决定藥之分量也，蓋灸治雖萬人同一，而炷之大小與壯數則不可同一，大小壯數，如何决定，第一宜視其年齡，而後再視觀其體質與性之區別（男女之別）營養良否，最後更因病症而適宜决定之。小兒或大人體質之虛弱者，對於結核性疾患之消耗性病者，如艾炷不小，壯數不少，雖受火熱，施灸後必覺疲勞，此外對於痙攣性之疾患，以興奮而欲達鎮靜之目的者，以壯數多，艾炷大爲良，又對於痲痺性之疾患，而欲達興奮之目的者，艾炷宜大，壯數宜少。

十七、施灸點之决定及取穴法

灸術施灸點，古來與針術同依經穴法行之，此項對於各病症之施灸點，於治療學略論之，須基於解剖學，熟知骨，筋，肉，內臟等之位置形狀，脉管神經之分佈狀態，並知生理學之作用，與灸科學合而决定之，如有差錯，即不能定施灸點，故於治療學內就各病症之施灸點，宜一一牢記其大綱，迨將來實際應用時，雖千變萬化，自能領會，且古來所定之經穴，從今日解剖學生理學上觀之，其理論與實際，效果亦多符合，其中雖多不合理之個所；但學者從經穴編學經穴時，能對照生理，解剖以及針灸學各科，深習而研究之，其庶幾矣。

又從解剖生理學上所見不合理之經穴，而對於病症，亦多奏良效，此點不爲多數臨床家所公認，此亦解剖生理之知識所未能判定，須候將來化學進步而後可解此種疑點，是吾等所共同期待者也。

十八，熨引法

熨引爲古治病法之一，或以藥物熨帖而按之，或搖動其筋節爲導引也，素問血氣形志篇曰，「形苦志樂，病生於筋，治之以熨引，」熨者以藥物炒熱，磨熨患處也，靈樞壽夭剛柔篇曰，「刺大人者，以藥熨之」，按治病除各隨病症以藥熨之外，又有酒熨，鐵熨，葱熨諸法，茲略述於下：

一酒熨　以上好燒酒燉熱，將布二塊，蘸酒自胸向上擦抹，布冷再換熱布，輪流換用，如此數次，氣機自通，凡瘟疫傷寒時症，或食後煩亂，心胸脹悶，氣鬱不舒者宜之。

二鐵熨　以敲火錢鎌二三塊，在石版上敲令極熱，置患處時時輪流順熨，(不宜倒熨)初起微痛，久則痛止毒消，凡乳岩，流注，失榮，瘰癧，惡核，痰核等一切陰症初起未成者宜之。

三葱熨　大葱一握，隔湯蒸熱，以線緊切平其根，乘熱熨背上，冷即更換，得微汗爲效，倦則止之，來日再熨如前，此法大能祛風散寒活血止痛，爲消腫解毒之妙法，治癰腫被風，發熱脹痛，風痰流注，便毒初起，跌打損傷腫痛，及婦人吹乳，乳癰等症。

葱一握，灸熱搗爛作餅，敷於痛處，用厚布二三層，以熨斗熨之，治產後惡露流於腰臂關節之處，或漫腫或結塊，久而作痛，肢體倦怠者，此係傅青主生化編方所述。

十九，灸法之種種

於肌膚痛傷處，襯以姜片或鹽末按有用棗肉或大蒜片或銅幣銀幣者，而以艾絨小團灼於其上，或針入肌膚之中，而以艾絨燒灼針之外端也，凡陽寒停滯經絡者最宜，若陰症而不灸，則寒氣重凝，陽毒內聚，厥氣上沖，血絡益滯，而成痼疾，若陽症而誤灸，則焦骨傷筋火毒益甚，陰液愈虧，而成壞証矣。

（二）藥物灸法

灸法本用艾作炷灸之，後人有發明用藥灸者即艾炷中和入藥物如硫黃麝香等而灸之，助以藥力易於透入筋肉（按易於透入則未必，助長其熱力是矣）可以減少艾絨壯數，法至善也，又有雷火針者，用辛香活血通絡之藥物，和以艾絨捲如竹筒，燃熱，隔布而熨於穴上，使藥氣熱氣竄入穴中而愈病，效果極佳。

（三）隔蒜灸法

大蒜切成片，約三錢厚，安瘡頭上，用大艾壯灸之，三壯即换一蒜片，若漫腫無頭者，以濕紙覆其上，視其先乾處，置蒜片灸之，兩三處先乾，兩三處齊灸之，有一點白粒如粟，四圍紅腫如錢者，即於白粒上灸之，若瘡勢大，日數多者，以蒜搗爛，鋪於瘡上，艾鋪蒜上灸之，蒜敗再易，以知痛甚爲效，凡癰疽流注鶴膝風，每日灸二三十壯，癰疽陰瘡等證，艾數必多，宜先服獲心散，以防火氣入內，灸小兒先將蒜置大人臂上，燃艾候蒜溫，即移於小兒毒上，其法照前，經云，寒邪客於經絡之中則血濇，血濇則不通，不通則衛氣從之，壅遏而不得行故熱，大熱不止則肉腐爲膿，蓋毒原本於火，然於外寒相搏，故以艾火蒜灸之使開結其毒，以移深居淺也。

（四）黃臘灸法

凡癰疽發背惡瘡頑瘡，先以濕麵隨腫根作圈，高寸餘，實貼皮上，如井口形，勿令滲漏，圈外圍布數重，防火氣烘膚，圈內鋪臘屑三四分厚，次以銅漏杓盛桑木炭火，懸臘上烘之，令臘化至滾，再添臘屑，隨深以井滿爲度，皮不痛者毒淺，灸之知痛爲止。皮痛者毒深，灸至不知痛爲度，去火杓，即噴冷水少許於臘上，俟冷起臘，臘底之色青黑，此毒出之徵也，如漫腫無頭者，亦以濕紙試之於先乾處灸之，初起者一二次即消，已成者二三次即潰，瘡久潰不斂，四圍頑硬者，即於瘡口上灸之，臘從孔入，愈深愈妙，其頑腐瘀膿盡化，收斂甚速。

（五）附子餅灸法

生川附子爲末，黃酒合作餅，如三錢厚，安瘡上，以艾壯灸之，每日灸數壯，但令微熱，勿令疼痛，如餅乾再易餅灸之，務以瘡口紅活爲度，治潰瘍氣血俱虛，不能收斂，或風寒襲之，以致血氣不能運行者，實有奇驗，諸瘡患久成漏者，常有膿水不絕，其膿不臭，內無歹肉，尤宜用附子浸透，切作大片，厚二三分，於瘡著艾灸之，仍服內托之藥，隔二三日再灸之，不五七次，自然肌肉長滿矣，至有膿水惡物漸漬根深者，郭氏用白麵硫黃大蒜三物一處搗爛，看瘡大小，捻作餅子厚約三分，安瘡上用艾灸二十一壯，一灸一易，灸後四五日，方用挺子，紝入瘡內，歹肉盡去，好肉長平，然後貼收斂之藥，內服應病之劑，調理即瘥矣。

（六）隔豉餅灸與蠐螬灸法

夫疽則宜灸不宜烙，癰則宜烙不宜灸，丹瘤腫毒，潰之，腫皮光軟，則針開之，以洩其毒，治瘡之手法，迨不過此，而各有所宜，故聖惠方論曰，認是疽瘡，便宜灸之，一二百壯，如菉豆許大，灸後覺似瘀痛，乃是火氣下徹，腫內熱氣，被火導之隨火而出，所以然也，若其瘡痒，宜隔豉餅灸之，其餅須以椒姜鹽葱，相和搗爛，捏作餅子，厚薄如折三錢，當瘡頭豉餅子上灸之，若覺太熱，即抬起，又安其上，餅子若乾，更換新者尤佳，若其瘡痛，即須急灸，壯數多爲妙，若其膿已成者，愼不可灸，即便針開之，即得瘥也，若諸瘡經久不瘥，變成瘻者，宜用硫黃灸法灸之，其法硫黃一塊，可瘡口大小安之，別取少許硫黃於火上燒，用釵尖挑起。

點硫黃令著三五遍，取膿水乾差爲度，若其發背初生，即宜上餅灸法灸之，初覺背上有瘡疼癢頗異，認是發背，即取淨土水和捻作餅子，徑一寸厚二分，貼著瘡上，以艾作炷灸之，一炷一易，餅子，其瘡粟米大時，可灸七七炷，其瘡如錢許大，日夜不住灸，以瘥爲度，疽瘻惡瘡諸醫不驗者，取蟾蜍剪去兩頭，安瘡口上，以艾灸之，七壯一易，不過七枚，無不效者，又法用乞火婆虫灸之，同前法，累驗神效，人皆秘之，往往父子不傳，又法赤皮蒜搗爛焊作餅子，一如豆豉餅子灸法灸之，彌佳。

（七）黃帝灸法

（1）男婦虛勞、陰疽骨蝕，肺傷寒，纏喉風，老人氣喘、老人二便不禁，婦人臍下或下部出膿水、婦人半產，久則成虛勞水腫、婦人產後熱不退，恐漸成癆瘵。以上各症，灸臍下三百壯。

（2）男婦水腫、久患脾瘧，氣厥尸厥，死脉及惡脉見、腎虛面黑色，以上各症，灸臍下五百壯。

(3)急慢驚風，灸中脘四百壯。

(4)黃黑疸，灸命關二百壯。

(5)久患傴僂不伸，灸臍兪一百壯。

(6)產後血暈，婦人無故風搐發昏，嘔吐不食，以上各症，灸中脘五十壯。

(7)鬼魔著人昏悶，灸前項穴五十壯。

(8)久患脚氣，灸湧泉穴五十壯。

(9)暑月腹痛，灸臍下三十壯。

(10)婦人產後，腹脹水腫，灸命關百壯，臍下三百壯，鬼邪著人，灸巨闕五十壯，臍下三百壯。

(八)扁鵲灸法

(1)凡諸病困重，尙有一毫眞氣，灸命關二穴二三百壯，能保固不死，(穴在脇下脘中，舉臂取之，對中脘，向乳三角取之)

（2）凡一切大病，中風失音，手足不遂，大風癩疾，灸腎俞二穴二三百壯，（穴在十四椎兩旁，各開一寸五分）

（3）兩目䀮䀮，不能視遠，及腰臍沉重，行步乏力，須灸中脘臍下，待灸瘡發過，方灸三里二穴，以出熱氣自愈，（三里穴在膝眼下三寸，舉足取之）

（4）腳氣重，行步少力，灸承山二穴（穴在腿肚下，挺腳指取之）

（5）遠年腳氣腫痛，或腳心連脛骨痛，或下腿粗腫，沉重少力，可灸湧泉二穴五十壯（穴在足心宛宛中）

（6）偏頭痛，眼欲失明，灸腦空二穴七壯自愈（穴在耳尖角上，排三指盡處）

（7）太陽連腦痛，灸目明二穴三十壯（穴在口面骨二瞳子上入髮際）

（8）久患風腰痛，灸腰俞二穴五十壯（穴在脊骨二十一椎下）

（9）巔頂痛，兩眼失明，灸前頂二穴（穴在鼻上入髮際三寸五分）

（九）竇材灸法

（1）中風半身不遂，語言蹇澁，乃腎氣虛損也，灸關元五百壯。

（2）傷寒少陰病症，六脉緩，昏睡自語，身重如山，或生黑靨，噫氣，吐痰腹脹，指冷過節，急灸關元三百壯可保，

（3）傷寒太陰症，身凉足冷過節，六脉弦緊，發黃紫斑，多吐涎沫，發燥熱，噫氣，急灸關元命關各三百壯，傷寒惟此二証害人甚速。

（4）腦疽發背，諸般疔瘡惡毒，須灸關元三百壯，以保腎氣。

（5）急喉痺，頤粗頷腫，水穀不下，此乃胃氣虛，風寒客肺也，灸天突五十壯。

（6）虛勞咳嗽潮熱，咯血吐血，六脉弦緊，此乃腎氣損而欲脫也，急灸關元三百壯。

（7）水腫膨脹，小便不通，氣喘不臥，此乃脾氣大損也，急灸命關二百壯，以救脾氣，再灸關元三百壯，以扶腎水，自運消矣。

（8）脾洩注下，乃脾腎氣損，一二三日能損人性命，亦灸命關關元各三百壯。

（9）休息痢，下五色膿者，乃脾氣損也，半月間則損人性命，亦灸命關關元各三百壯。

（10）霍亂吐瀉，乃冷物傷胃，灸中脘五十壯，若四肢厥冷，六脉微細者，其陽欲脫，急灸關元三百壯。

（11）瘧疾，乃冷物積滯而成，不過十日半月自愈，若延綿不絕，乃成脾瘧氣虛也，久則元氣脫盡而死，灸中脘及左命關各百壯。

（12）黃疸，眼目及遍身皆黃，小便赤色，乃冷物傷脾所致，灸左命關百壯忌服凉葯，若兼黑疸，乃房勞傷腎，再灸命關三百壯，

（13）翻胃，食已即吐，乃飲食失節，脾氣損也，灸命關三百壯。

（14）尸厥，不省人事，又名氣厥，灸中脘五十壯。

（15）風狂妄語，乃心氣不足，爲風邪客於包絡也，先服睡聖散，灸巨闕穴

七十壯，灸瘡發過，再灸三里五十壯。

（16）脇痛不止，乃飲食傷脾，灸左命關一百壯。

（17）兩脇連心痛，乃恚怒傷肝脾腎三經，灸左命關二百壯，關元三百壯，

（18）肺寒胸膈脹時吐酸，逆氣上攻，食已作飽，困倦無力，口中如含冰雪，此名冷勞，又名膏肓病，乃冷物傷肺，反服凉葯，損其肺氣，灸中府二穴，各二百壯。

（19）咳嗽病因形寒飲冷，冰消肺氣，灸天突穴五十壯。

（20）久嗽不止，灸肺俞二穴，各五十壯即止，若傷寒後，或中年久嗽不止恐成虛勞，當灸關元三百壯。

（21）癘風，因臥風濕地處，受其毒氣，中於五臟，令人面目龐起如黑雲，或偏身如錐刺，或兩手頑麻，灸五臟俞穴，先灸肺俞，次心俞脾俞，再灸肝俞腎俞，各五十壯，周而復始，病愈爲度。

（22）暑月發燥熱，乃冷物傷脾胃腎氣所致，灸命關二百壯，或心腹脹悶作

疹，灸左命關五十壯，若作中暑，服凉葯即死矣。

(23)中風病，方書灸百會肩井，曲池，三里等穴，多不效，此非黃帝正法，灸關元五百壯，百發百中。

(24)中風失音，乃肺腎氣損，金水不生，灸關元五百壯。

(25)腸癖下血，久不止，此飲食冷物，損大腸氣也，灸神闕穴三百壯。

(26)虛勞人及老人，與病後大便不通，難服利葯，灸神闕一百壯自通。

(27)小便下血，乃房事勞損腎氣，灸關元二百壯。

(28)砂石淋諸葯不效，乃腎家虛火所凝也，灸關元三百壯。

(29)上消病，日飲水三五升，乃心肺壅熱，又吃冷物，傷肺腎之氣，灸關元一百壯，可以免死，或春灸氣海，秋灸關元，三百壯，口生津液。

(30)中消病多食，而四肢羸瘦，困倦無力，乃脾胃腎虛也，當灸關元五百壯。

(31)腰足不仁，行步少力，乃房勞損腎，以致骨痿，急灸關元五百壯。

(32)昏默不省人事，飲食欲進不進，或臥或不臥，或行或不行，莫知病之所在，乃思慮太過耗傷心血故也，灸巨闕五十壯。

(33)賊風入耳，口眼歪斜，隨左右灸地倉五十壯。或二七壯

(34)頑癬浸淫，或小兒禿瘡，皆汗出如水，濕淫皮毛而起也，於生瘡處隔三寸，灸三壯出黃水愈。

(35)行路忽上膝及腿如錐痛，乃風濕所襲，於痛處灸三十壯。

(36)寒濕腰痛，灸腰兪穴五十壯。

(37)老人氣喘乃腎虛氣不歸海灸關元二百壯。

(38)脚氣少力，或頑痲疼痛，灸湧泉穴五十壯。

(十)灸膏盲法

主治陽氣虧弱，諸風，痼冷，夢遺上氣，呃逆膈噎，狂惑妄誤百症，取穴須令患人就床平坐，曲膝齊胸，以兩手圍其足膝，使髀骨開離，勿令搖動，以指按四椎微下一分，五椎微上二分，點墨記之即以墨平畫相去六寸許

，肋間空處容側指許，灸主百壯千壯，灸後覺氣壅盛、可灸氣海及足三里，瀉火實下，灸後令人陽盛，當消息以自保養，不可縱慾。

（十一）灸一切冷氣法

若猝悲小腸疝氣，一切冷氣，連臍腹結痛，小便遺溺，灸大敦二穴，在足大指之端，去爪甲韭葉許，及三毛叢中是穴，灸三壯若小腸猝疝，臍腹疼痛，四肢不舉，小便澀滯，身重足痿，三陰交二穴，在足內踝骨上三寸是穴，宜針三分灸二壯極妙。

（十二）灸痔漏法

痔疾未深，止灸長强甚效，如年深者，可用槐枝馬藍根一握，先煎湯取水三碗，用一碗半，乘熱以小口瓶薰洗，令腫退，於患處根上灸之，尖頭灸不效，或用葯水盆洗腫微退，然後灸，覺一團火氣通入腸，至胸乃效，灸至二十餘壯，更忌毒物，永愈，隨以竹片護火氣，勿傷兩邊好肉。

（十三）灸目疣法

眼皮上下生出一小核是也，若堅不自破，久則如盃如掌，而成瘤矣，若初起小核時，即先用細艾如粟米放患上，令患目者臥，目緊閉，以隔蒜片灸三四壯，外將膏葯貼之，又用紫背天葵子，揀淨二兩，煑酣酒一壺半，皂角子二三粒，炮熱，研細，飲酒時擦上自消。

——灸科學講義完——

中國灸科學

全一册

中華民國三十五年十二月一日三版

編著者　中州楊醫亞醫師

出版者　中國針灸學社

印刷者　國醫砥柱總社印刷部

總發行部　國醫砥柱總社發行部

地址：北平宣外米市胡同乙五十二號

電話三局五一六九號

現代中醫藥界唯一精粹科學化之前進刊物

楊醫亞主編

國醫砥柱月刊

出版九年——資望最老——風行中外——信用最著

本刊按月一日出版，撰稿者均係全國各地名醫著作家，每篇均是個人之精心傑構，內容豐富，學說新穎，言論公正，新聞翔實，編排醒目，印刷精美，辦理完善，風行中外，定價低廉，出版準期，殊非其他刊物所能比擬，實堪稱現代醫藥界最有價值之刊物，凡醫藥界及民衆們，均不可不讀此衆美皆備之刊物、醫藥界讀之，藉以明瞭現代醫藥情況和趨勢、民衆們讀之，足以增加醫藥知識，並得實用效驗方藥，均有禆益，且足為復興民族之一助耳，全年十二期，定價三千六百元，寄費免收，如欲航寄時，另加航寄費四千元

楊醫亞
汪浩權　主編

驗方集成月刊

是家庭醫藥之顧問　是個人自療之恩物　是大衆健康之指南　是學醫臨床之捷徑

本刊專載歷代經驗奇效秘方，自療方藥、凡一切疾病自療方法、以及單方療病等，無不詳載，推翻秘方惡習，公開疾病治療，增加民間自療常識，保障民族健康，搜集精粹，名貴非常，凡研究中醫及欲得醫藥之一般自療者，均不可不讀也，全年十二期，二千四百元、寄費免收，航寄另加航費三千元。

異軍突起——全國針灸界之鉅大結晶——針灸科學化之急進先鋒

楊醫亞
焦勉齋　主編

中國針灸學季刊

內容實充——秘訣公開——選輯精嚴——材料新穎

本刊計有論文，暢論針灸之原理，有專載，搜刊古本秘籍之近賢新著，有治療驗案，記載療病成績，公佈針灸秘訣，及其雜著，醫事記載各種文字，故研究針灸者及醫家不可不讀也，全年四期，一千二百元，寄費免收，航寄另加一千二百元。

以上三種刊物總定閱處：北平宣外米市胡同乙52

國醫砥柱總社
驗方集成月刊社
中國針灸學社

温灸术函授讲义

提　要

一、作者小传

《温灸术函授讲义》由朱志杰与黎桂廷合编，二人生卒年不详。

二、版本说明

《温灸术函授讲义》是民国二十三年（1934）二月出版的函授课本，由广东温灸术研究社出版。

三、内容与特色

该书分上、下两编。上编为总论部分，介绍了温灸术的来源和优点、温灸治病的原理以及温灸治病的适宜与禁忌；下编为应用部分，介绍了各孔穴的意义与部位，各疾病的病因、症状、预后、施灸方法等。

现将该书特色介绍如下。

（一）宏观与微观相结合

温灸术有着悠久的历史，在民国时期，大众对生理学、病理学等学科不甚了解，该书在介绍温灸术时，不仅从宏观角度介绍了温灸术的发展传承，更从微观角度介绍了温灸术对人体红细胞、白细胞的作用。这是一种极大的创新，在某种程度上也推动了温灸术在民间的普及、传承与发展。

（二）严谨预判，科学指导

该书对各类疾病的预计治愈时间、预后情况等做了具体说明，使读者在掌握温灸方法之余也对整个疾病的发展与预后有大致的了解，以便读者有的放矢地进行临床施治。同时，该书对疾病的不同转归及相应的处理方法也做了较为详细的说明。该书内容十分严谨科学，在各类函授讲义中独树一帜。

溫灸術函授講義
廣東溫灸術研究社出版

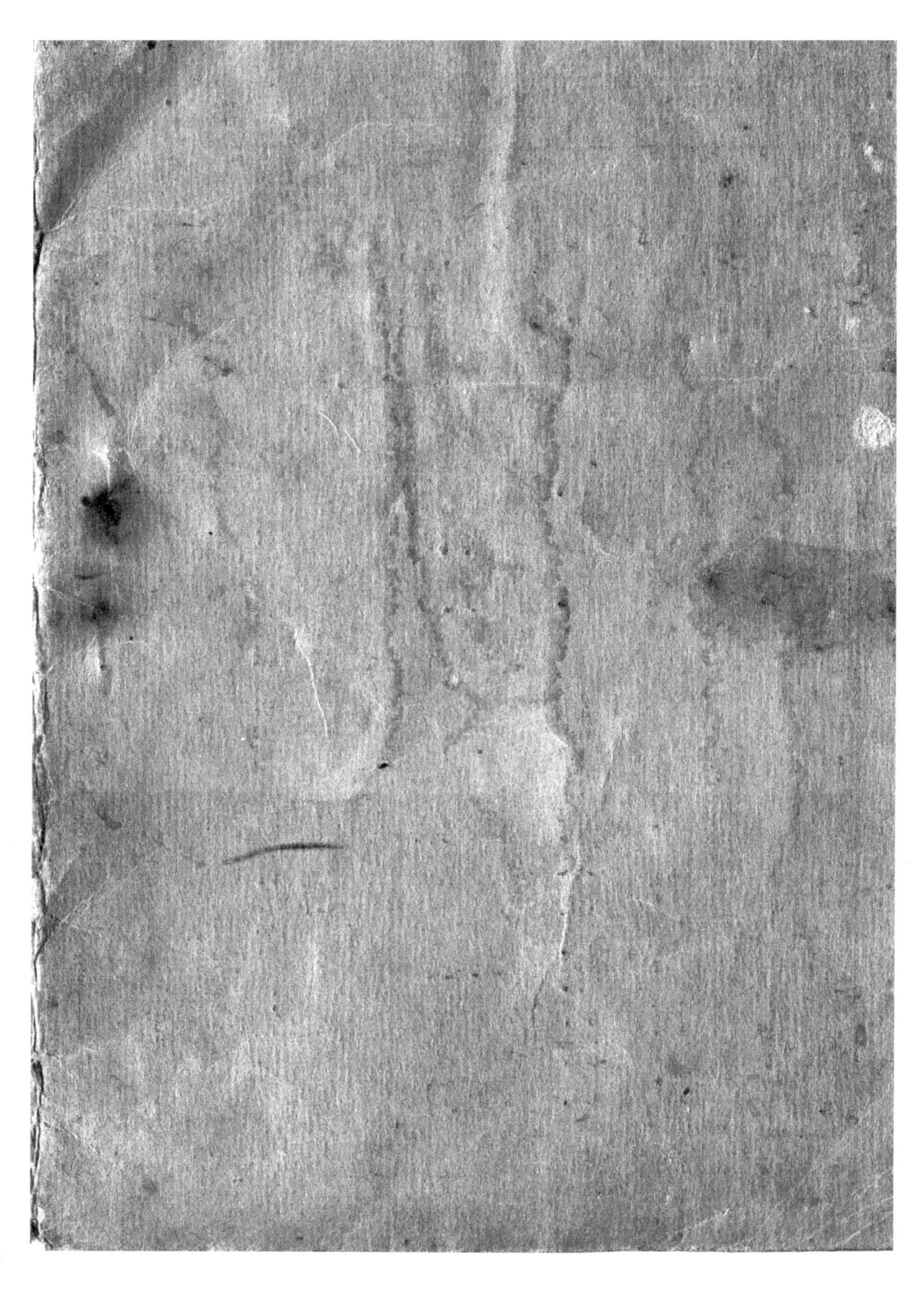

溫灸術函授講義目錄

上編　總論

下編　應用

温灸術函授講義　目錄　四

温灸術函授講義　目錄　八

溫灸術函授講義

朱志傑 黎桂廷 合編

上編 總論

第一章 緒論

我國古代醫學，種類甚繁，獨惜當時人事簡單，祇以爲中醫之草木醫術，已足應付，致其他醫術如針灸，按摩，祝由等，均少人研究，因循至今，幾至失傳，坐令大好學術，流諸異域，殊屬可惜！

迨至近世，人事日繁，病之種類，亦日見其多，因而原有醫學，已不能應付，識者憂之，乃轉求之外，以西醫術爲輔助，而西洋之電療，紫光，催眠，鐳電，諸療法，相繼侵入，浸且我國古代原有之針灸，按摩，諸法，不自知漸次研求精進之方，反而求之東鄰，藉謀我國醫術之完備，今者，中西醫術，萃於一隅，不可謂不完備矣，然而，上述諸種醫術，或以器械須購自外洋，所值甚鉅，購置者固不易舉辦，即使犧牲鉅欵購備，而治療費亦必所取甚昂，一般貧民，望而却步，或則習焉未精，有藥石誤投之虞，因而年中病人之死於生理者，僅百之三四，而失醫或誤醫致死者，實百之五六，良可慨也！

溫灸醫術，爲晚近日本最新醫術之一種，實則此種醫術，我國數千年前已有之，不過當時無人注意，至令失傳耳，日本當局以其治病靈驗，且於人身無碍，故朝野上下，極力提倡，數年間，不僅漢醫西醫，一致研究，即普通人亦多習之，以謀自己治病，其流行之盛，於此可見，著者不敏，以此術實凌駕種種之醫術之上，乃專心研習，數年來，對於此科畧有心得，不敢自秘，乃再博考羣書，編爲函授講義，以此萬能醫術，傳之於世，僅先誌其原起於此，至其意義來源方法等，當於下章依次敘述之！

第二章　溫灸術之來源及優點

温灸術之名詞，乃將溫熱療法與灸治術二名詞混合而生，蓋其以溫度使藥力透入肌裡，乃與溫熱療法之意義相同，而用藥灸於患處，則與灸治法無異，故稱爲溫灸！

考斯術之來源，乃起於我國，因古代之針灸術，須先以銀針打入肌膚。然後取蘄艾灸之，此種方法，雖亦頗著奇效，惟以針刺膚，因感痛楚，而蘄艾灸體，時烙皮膚，病者苦之，遂有智者，略加改良，以陶器盛藥灸病，此實溫灸之雛形，然方法簡陋，效驗因遜於針灸，習者甚鮮，迨此術與佛教同時流入日本，彼國政府，知斯術之有裨於世也，乃指定名醫六人，將孔穴釐定，再由羣醫將其方法加以改良，使其完備，然後交由全國醫生試驗，成效大著，於是極力提倡，民衆方面，以其易習易行，亦多喜習之，故不數年，已盛行於日本，我國有志之士，留學東瀛者，亦間有研究，惜多不甚重視，歸國後既不以之授人，亦少以之行世，故延至今日，教授團體，全國僅有二三，而以之爲人治病者，全國亦僅數百人，倘吾人努力提倡，自不難普及全國也。

至斯術之優點，則多爲其他醫術所不及，試約言之：(一)易於學習　無論中西醫術，欲研究全科者，非六七年不可，即欲習一專科，如牙科，產科等，每科亦須一二年之間，方可習畢，惟溫灸術則秏一兩月之時間，即可學成，(二)治病迅速　別種醫術，每治一病，往往須時數日，方能見效，惟溫灸治病，功效極速，如暈眩，氣痛，骨痛，脚氣等症，一經施灸，即刻見效，再灸數次，即能根治，(三)駕乎藥物　藥石所不能奏效之病，溫灸術亦多能治之，(四)無碍身體　藥物治病，偶或診察不明，悞投藥石，則時有悞命之虞，惟以溫灸治病，則適應之症，固能奏效神速，即禁忌之症，亦無危險，(五)費用輕微　他種醫術，學習時所費已屬不貲，開業時之器械，所耗更鉅，惟溫灸術則學習時費用輕微，開業時，亦不過十數元之器械便足，以之爲專業副業，均無不可，由此觀之，斯術實近世最優良之醫術也。

第三章　溫灸治病之原理

人之身體，最重要之原素爲血，而血之成份，又以赤血球與白血球爲主，赤血球之功用至大，全身之新陳代謝，及體温之調節，皆賴於此，赤血球之多少，關係於人體之強弱，故身體虛弱者，其皮膚常呈青白之色，即赤血球過少之表徵也，白血球在身體中亦佔重要位置，蓋其有食菌作用，吾人之身體所以能抵抗外來細菌者，全賴此白血球之力使然，人類終日營役斯世，每日實吸入細菌甚多，所以有能感受傳染與不能感受傳染之分者，胥視乎其人白血球之多少，及抵抗力之強弱爲斷，是則此赤血球與白血球在人身之重要，於此可見矣。

艾，菊科植物也，在中藥中，其用甚廣，我國本草所載「純陽之性，能回垂絶之元陽，通十二經，走三陰，活氣血，逐寒濕，暖子宫，止諸血，温中開鬱，調經安胎，以之灸火，能透諸經，而治百病，」其效力之大，已可概見，再就醫家之經驗，無論内服外用，皆常用之，且均著奇效。

今温灸術之施用，即利用此種原理，藉艾之功力，透入肌膚，令赤白兩血球之增殖，一方面使身體強壯，一方面增加身體之抗菌作用，則身體之血脈流通，細菌不易侵入，縱爲細菌侵入，亦能將之消滅，則無論何病，皆可霍然矣。（關於身中血脈運行情形，及赤白血球之詳細作用，請參閱本講義編末所介紹之參考書，本講義爲提要鈎玄計，祗可畧述一二而已。）

第四章　溫灸治病之宜忌

吾人嘗見市上賣藥者，往往稱爲「萬應」，實則病之種類至繁，斷無執一藥而能療萬病之理。溫灸術雖因所用之藥有數種，能醫之病甚多，然其治病，仍有適應症與禁忌病之別。若施之不宜，雖不至如悞投藥石之足以悞命，但往往因施於禁忌症功效不彰，最易失社會之信仰。故編者於此，不能不加以敘明，庶學者知所施用，其效當可大著也。

就編者之經驗，除皮膚病，腦充血，及燥熱之病不適宜於溫灸外，其餘無論何種疾病，概可治之，玆爲求學者明瞭起見，特再將適應症與禁忌症分錄如下！

（甲）適應症

（一）神經系疾患

諸神經痛　神經衰弱　神經痲痺　齒痛　頭痛　諸神經痙攣症　其他之神經病

（二）消化系疾患

胃腸　肝臟　膵臟　脾臟　便秘

（三）循環系疾患

肺病　肋膜炎　氣管支病　喘息　心臟　白血病　貧血　充血

（四）婦科疾患

子宮內外膜炎　子宮筋腫　白帶下　不妊症　流產癖　腟痙攣　子宮痙攣　子宮實質炎　子

宮後屈　乳房痛　乳汁不足　月經困難　月經時疝痛　孕婦急癇　月經閉止　卵巢炎

（五）兒科疾患

癇病　遺尿　夜啼　慢驚

（七）其他疾患

脚氣　萎黃病　僂麻質斯　歇斯的里　腰痛　淋病　梅毒　生殖器病　腎臟　尿毒症　中氣　卒中　癲癇　性慾減退　糖尿病　眼病　中耳炎　鼻加答兒　蓄膿　脊髓諸病　腹膜炎　黃疸疝痛　腸寄生蟲　食道病　耳下腺炎　扁桃腺炎

其他除皮膚病。傳染病。須用外科的手術之疾病外。不論何病。皆有特效。限於篇幅。姑從略焉。

（乙）禁忌症

凡急性傳染病，腦充血病，急性腹膜炎，腦膜炎，發熱，外科各症，燥熱病，均不宜温灸，而酒醉及劇烈運動之後，亦不宜施以温灸。

次則温灸施術時，温度之高低，亦須因人而施，大凡初次施灸之人，及未成年之孩童，與身體衰弱者，概宜用低温，如曾經施灸數次暨成年之人，則須用高温，亦無妨碍，但温灸器之温度太高時，亦須墊以潔淨之白布或毛巾，庶免傷及肌膚也。

下編 應用

第五章 孔穴之意義及部位

吾人終日與種種事物接觸。聞花而知其香，嗅糞而感其臭，觸火而感其熱，涉水而覺其冷，凡此種種，何由而辨，蓋人身中之神經使然也。食物咽於喉而達於胃，再輸而之腸，此種工作，孰負其責，亦神經司之也。是神經之於人身，實佔有重要位置焉。

人身之血液，以心臟爲大本營，人盡知之，然心臟之血，何由而傳達於全身，血液之終日流行，從何徑路，是又不能不有賴於全身之血管，故血管在人身之重要，實不亞於神經也。（神經及血管之詳細組織，請閱本講義介紹之參考書。）

孔穴治病之原理，即由此而生。蓋所謂孔穴者，即神經血管之關口也。此部份之神經及血管，能管轄人身之某部，故某部之病，在此施灸，即可治之，是即謂之孔穴。

全身孔穴之總數，在我國古代所傳，謂有三百之多。自日本改良之後，即改爲一百。因其中多有不準確者，故删繁就簡，減爲一百。今日針灸温灸二科，皆以此一百穴爲根據。實則就編者實地治療之經驗，温灸之施灸仍可節省，不必盡依此一百穴。現爲聊備一格，以供學者參考計，特先將一百穴之地位詳叙於下！

第一節　頭部之孔穴

（一）神庭　位於眉間之上方。約二寸五分之所。髮之上際。卽前頭骨部也。

（二）顖會　位於神庭之上方。約一寸之所。小兒顖門。搏動可見之處。卽大顖門也。

（三）百會　位於顖會之後三寸。在頂之中央旋毛中。

（四）後頂　位於百會向後一寸五分。

（五）腦戶　位於後頂之下約三寸之所。

（六）瘂門　位於腦戶之下約二寸。入後髮際。仰頭取之。

（七）曲差　位於眉毛之中央部。向上方生髮之處。

（八）承光　位於曲差之上二寸之所。

（九）通天　位於承光之上一寸五分。

（十）天柱　位於耳後小陷之所。

（十一）風池　位於天柱之上五分之所

（十二）竅陰　位於完骨之上。枕骨之下。即風池對上約一寸五分之所。

（十三）頭維　位於上方額角。即額角髮際之所。

（十四）絲竹空　位於顳顬部近眉毛之所。即眉尾之處。

（十五）曲鬢　位於耳翼之前上方。

（十六）聽會　位於耳孔前約五分之所。

（十七）頰車　位於耳之下。即下顎骨隅之後端。

（十八）大迎　位於下顎突起之前角。

第二節　胸腹部之孔穴

（十九）天鼎　位於喉頭結節部斜向外方。至胸鎖乳嘴筋前緣之所。

（二十）天突　位於喉頭結節之直下二寸之所。

（二十一）俞府　位于第一第二之肋骨中間部。

（二十二）彧中　位于俞府下一寸六分之所。

（二十三）神藏　位於第三第四肋骨之中間。即彧中下一寸六分之所。

（二十四）靈墟　位於神藏之下一寸六分之所。

（二十五）神封　位於靈墟之下一寸六分之所。

（二十六）步廊　位於第六第七肋骨之中間。即神封下一寸六分之所。

（二十七）氣戶　位于俞府左右距離二寸之所。

（二十八）中府　位於第二肋骨之中間。上膊之內面。接續胸部之所。

（二十九）乳根　位於第六肋骨之間。乳腺之部。

（三　十）鳩尾　位於胸骨之最下端陷中。

（三十一）巨闕　位於鳩尾之下約一寸之所。

（三十二）上脘　位於巨闕之下約一寸之所。

（三十三）中脘　位於上脘之下約一寸之所。臍上四寸。

（三十四）腱里　位於中脘之下約一寸之所。臍上三寸。

（三十五）下脘　位於腱里之下一寸之所。臍上二寸。

（三十六）臍中　卽肚臍。普通温灸器大抵施於此處。

（三十七）關元　位於臍之下。約三寸之所。

（三十八）幽門　位於巨闕向左右距離五分之所。

（三十九）通谷　位於幽門之下一寸。上脘之旁五分。

（四十）陰都　位於通谷之下一寸。

（四十一）石關　位於陰都之下一寸。腱里之旁五分。

（四十二）商曲　位於幽門直下四寸之所。卽石關下一寸。

（四十三）肓俞　位於商曲之直下約二寸之所。
（四十四）四滿　位於肓俞之直下約二寸之所。
（四十五）大赫　位於四滿之直下約二寸之所。
（四十六）不容　位於幽門左右距離一寸五分之所。即季肋部。
（四十七）承滿　位於不容之下一寸。去上脘二寸。
（四十八）梁門　位於承滿之下。約一寸之所。
（四十九）太乙　位於梁門之直下二寸之所。
（五　十）外陵　位於太乙之直下三寸之所。
（五十一）水道　位於外陵之直下約二寸之所。
（五十二）腹哀　位於水道直下約二寸之所。
（五十三）陰廉　位於腹哀之下約三寸之所。

（五十四）庫房　位於或中左右距離二寸之所。

（五十五）屋翳　位於庫房直下約一寸之所。

（五十六）膺窻　位於屋翳直下約一寸之所。

第三節　背部之孔穴

（五十七）大椎　位於第七頸椎與第一胸骨中間。卽屈前頸隆起之骨。

（五十八）身柱　位於第三第四之胸骨中間。脊骨之上。卽大椎對下約三寸。

（五十九）命門　位於第二腰椎與第三腰椎之中間骨之上。

（六　十）上髎　位於命門之下約二寸之所。

（六十一）中髎　位於上髎之下約二寸之所。

（六十二）長強　位於尾閭骨之尖端。俗稱龜尾。

（六十三）大杼　位於第一第二胸椎中間之左右。

（六十四）肺俞　位於大杼之下方。即第三第四之胸骨。向左右距離約一寸五分。

（六十五）心俞　位於肺俞直下。即第五第六胸椎突起中間。向左右距離一寸五分。

（六十六）膈俞　位於心俞直下。即第七第八胸椎突起中間。向左右距離一寸五分。

（六十七）肝俞　位於膈俞直下。即第九第十胸椎中間。距離一寸五分

（六十八）胃俞　位於肝俞直下。即第十二胸椎及第一腰椎中間左右。距離一寸五分。

（六十九）腎俞　位於胃俞直下。即命門左右距離一寸五分之所。

（七　十）大腸俞　位於腎俞直下。即第五腰椎突起左右距離一寸五分。

（七十一）白環俞　位於長強之斜側。即臀部。

第四節　上肢部之孔穴

（七十二）肩井　位於上膊之中間。即大椎上方之左右。

（七十三）肩髃　位於上膊之下。約距離三寸之所。即肩峯之外方三角筋之部。

（七十四）肩貞　位於肩髃斜向腋下之所。三角筋之部·約離二寸之所。
（七十五）消濼　位於上膊之三角筋。卽肩貞斜下約二寸之所。
（七十六）清冷淵　位於肘上二寸。卽消濼斜下約三寸之所。
（七十七）天井　位於肘上方一寸之所。卽清冷淵斜下約三寸之處。
（七十八）曲池　位於上膊骨外髁之外上方部。
（七十九）手三里　位於曲池之下二寸之所。
（八　十）四瀆　位於手三里之斜下方約二寸之所。
（八十一）支溝　位於四瀆向下方一寸五分之所。
（八十二）陽池　位於手腕之關節部。
（八十三）合谷　位於拇指與第二指之中間手背處。
（八十四）俠白　位於上膊內面自鎖骨向下方五寸之所。卽上肢前面中間之處。

（八十五）尺澤　位於肘關節肘窩之內側。卽俠白斜下約三寸之所。

第五節　下肢部之孔穴

（八十六）會陰　位於長強之下。卽睪丸與肛門之中間。

（八十七）陰陵泉　位於膝關節之內側。

（八十八）三陰交　位於足內踝上方約三寸之所。

（八十九）水泉　位於足之內踝下部。卽凹陷之所。

（九十）環跳　位於鼠蹊之外方。而其內面扁平之處。

（九十一）中瀆　位於外膝上方約五寸之所。

（九十二）陽陵泉　位於膝之下方一寸。

（九十三）足手里　位於膝之直下方約三寸之所。

（九十四）飛陽　位於足三里斜向腓腸筋部下方。自足之外踝向上約七寸之所。

（九十五）懸鐘　位於足之外踝直上約三寸。自飛陽向下方約四寸之所。

（九十六）然谷　位於足內踝前之下。

（九十七）湧泉　位於足心陷中。

（九十八）承扶　位於尻臀之下。陰股之上。約文之中。

上述之孔穴乃就學理言之，但初學者欲熟記其部位，已感困難，若每病所取之穴稍多，則更非易易，今為學者易於記憶起見，特就經驗所得，將取穴方法，盡量節省，每病祇須施灸二三穴，庶學者祇熟記全身孔穴後，對於治病即能實施，此不獨研習時之便利，抑且開業後對病人施灸之時間，亦可減却不少也。

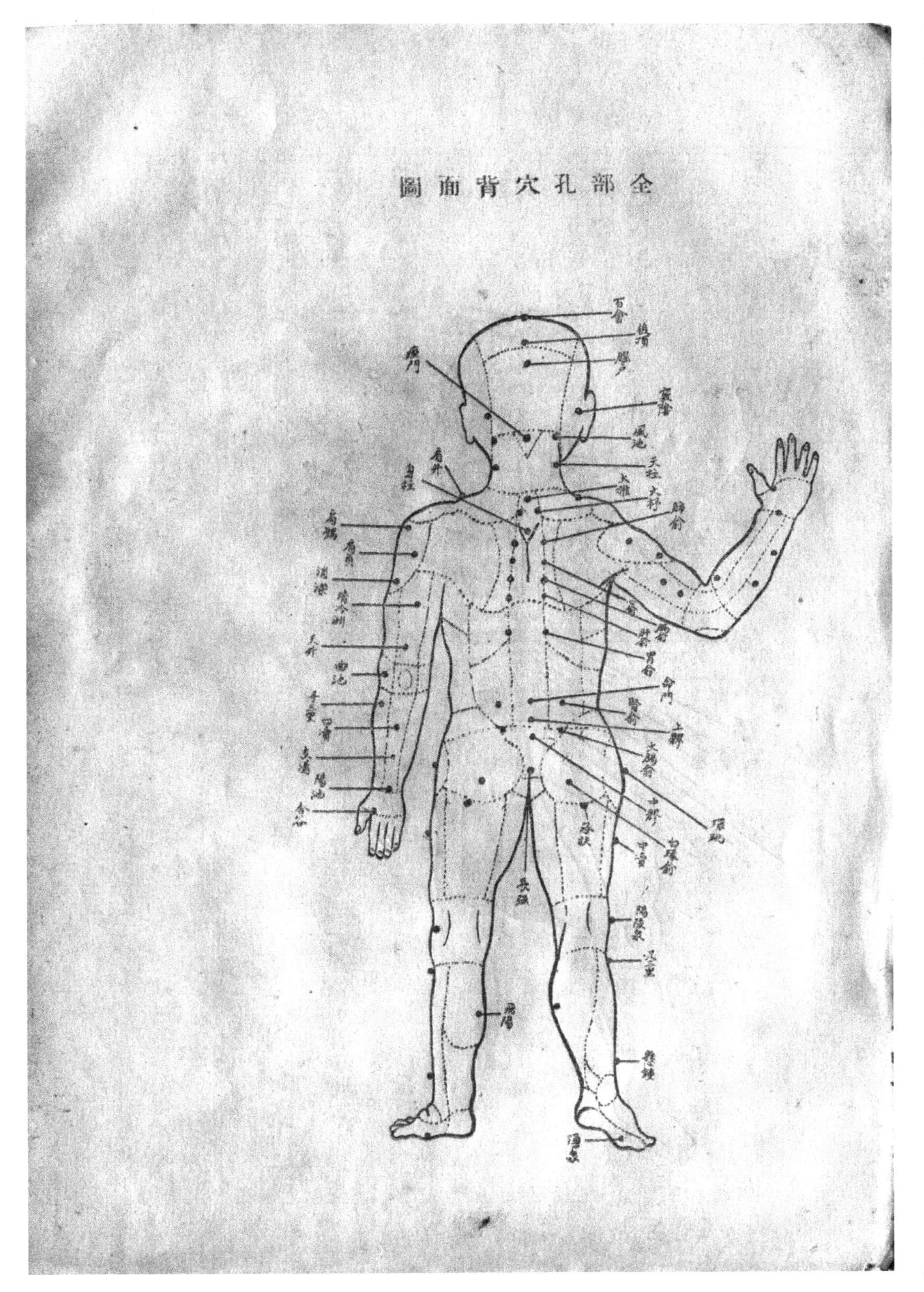
全部孔穴背面圖

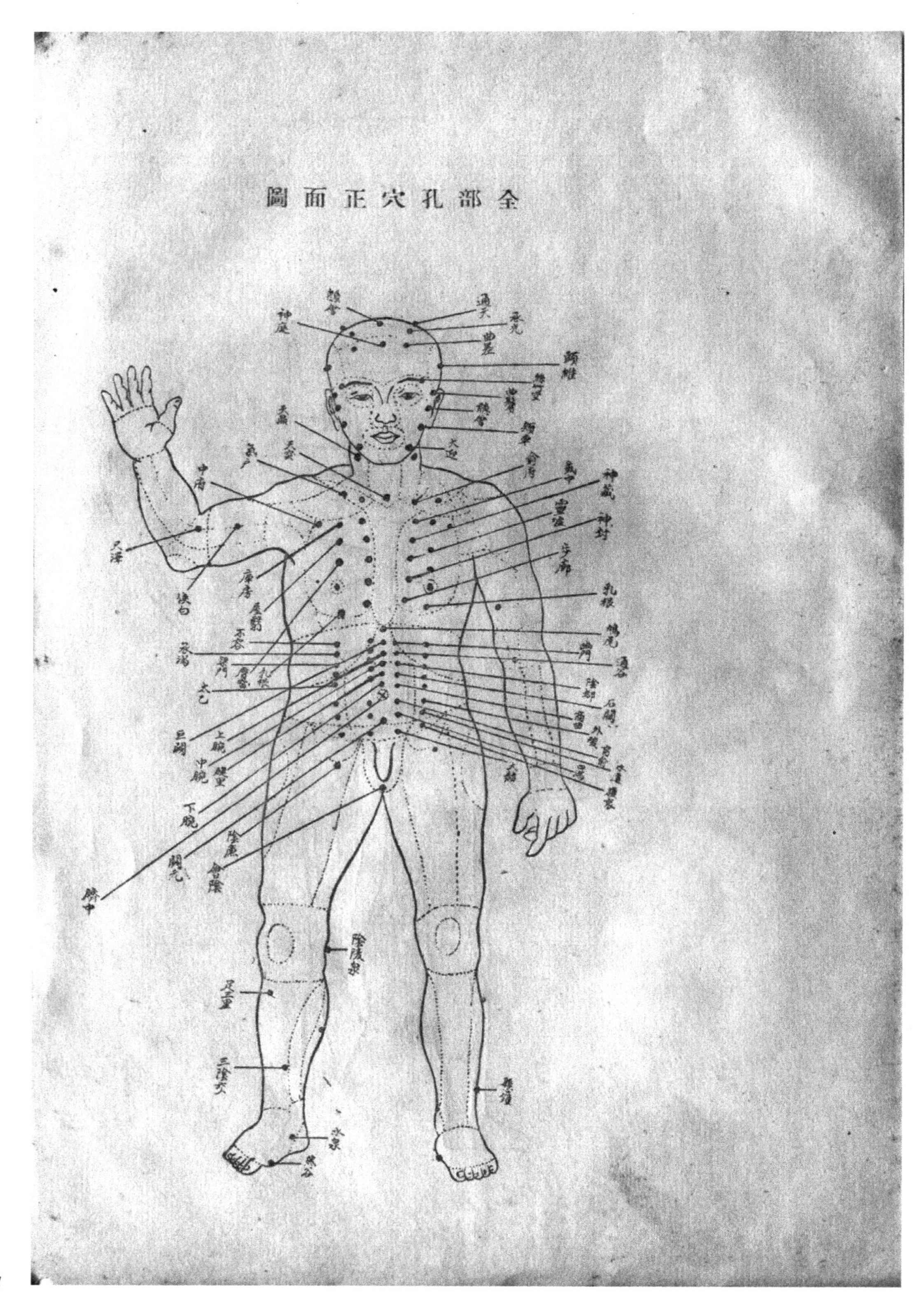
全部孔穴正面圖

第六章　治病部位分論

温灸之方法，外人未明內容，恍以爲其過於簡單，疑其不易收效，豈知温灸之方法，其所用器械，雖萬病皆同，但對於每病所用之藥，及每病所灸之穴，均有不同，實與普通醫生之對症發藥，無稍差異，實爲物理療法中之最完備，最可靠者，苟能按穴施灸，對症用藥，則其奏效之速，實遠非藥物療法所能望其項背也。

第一節　温灸藥品之說明

温灸雖爲外治方法，但其所用藥品，亦有數種，藥品之施用適宜，則見效極速，倘藥不對症，雖無大碍，但究難期收效，故於未研究治療方法之前，應先將温灸藥品，畧加說明，俾能按症施用！

（一）温灸艾　此爲温灸藥品中最主要之品，乃用普通艾，選其最純粹者，再用種種藥品混合製成，其功力之大，遠勝於普通艾，無論何病，皆須用之。

(二)普通艾　以此作温灸艾之代用品，亦無不可，惟因其未經藥製，故功效稍緩耳。

(三)乳麝　此藥有消炎止痛之功，且具殺菌力，凡有痛症及有細菌之痛，皆適用之，惟婦人以少用爲佳，孕婦忌用。

(四)乳硫　此藥功效，與乳麝相同，力雖較乳麝稍遜，惟較爲安全，故温灸術家多喜用之。

(五)藥鹽　普通食鹽，原有消炎定痛之功，今取食鹽而加以藥製，故其效益大，凡關節僂痲質斯，及各種痛症，風濕症，腫症等，用之必奏奇效。

以上所述各藥，均爲研究温灸者必備之品，倘能盡量置備，固能應用裕如，倘學者欲求經濟易辦計，則祇備藥艾，乳硫，藥鹽，三種亦可敷用也。

第二節　温灸器之使用

研究温灸術者，其最重要者爲温灸器，此器最先由日本發明，日本仿我國之舊法，加以改良，造成斯器，今則我國已能仿造，其物質尤勝於日貨。

温灸器乃一圓柱體之銅確，分內外二層，外層又可分爲二段，有柄，以備施術人持之與病者施灸，用時先將藥艾少許燃着．以扇扇之，使其完全燃着後，即放在温灸器之內層，再以未燃之藥艾約二倍，輕輕蓋於已燃着藥艾之上，然後將外層之上下兩段連合，俟外層之温度稍高，即可按下節之方法選穴施灸，每一穴之施灸時間，約十分鐘至二十分鐘，當温灸器之温度未高時，可將温灸器放定，不必移動，迨其温度增高時，則須頻頻移動，以免皮膚受灼，倘温度更高，必能與皮膚接近時，則宜用毛巾一層或數層墊住施灸，迨施灸完畢，須將温灸器拆開，內外均用酒精（俗稱火酒）洗淨，其餘如毛巾等件，亦須每次消毒，以期潔淨，倘能於施灸之前，再用酒精消毒一次，則更爲完善矣。

第三節　呼吸器病

呼吸器病，即俗稱肺病，如咳嗽等屬之，其適合於温灸治療者，共有七種，分述於下！

1．急性氣管支加答兒

中醫名稱　傷風咳

（原因）由外感，鼻塞，及喉頭炎之波及，或因吸入不潔之空氣，或含刺激性之氣體而起，亦有因患流行性感冒而起者。

（症狀）體倦，頭痛，發熱，畏寒，食欲不振，骨痛，咳嗽，咯痰，（所咯之痰先稠後稀，先少後多）

（經過）一星期至數月不等，如慢投藥物，往往遷延甚久。

（預後）頗良

（施灸）瘂門，風池，肺俞，（單用葯艾）

2．慢性氣管支加答兒

中醫病名　久咳

（原因）由急性氣管支炎，筋膜炎，慢性肺炎，肺鬱血，肺氣腫等症而起，氣管支粘膜經久刺激，亦可誘起是病。

（症狀）持久性咳嗽，咯痰時作嘔，呼吸困難，久咳不愈，且咯泡沫痰，或作劇烈咳嗽，咯粘液膿狀之痰，咯出之痰發臭味，口鼻呼出之氣亦常臭味。

（經過）此症經過，往往數月，極爲纏綿。

（預後）良。但須歷時甚久。

（施灸）幽門，上脘，瘂門，（單用藥艾，或略加乳硫）

3. 喉頭加答兒

中醫病名 類似乾咳

（原因）由於外感而起，或爲痲疹，疫咳，流行性感冒，喉頭炎等症之續發病，嗜烟酒者，更易患之，有急性緩性二種。

（症狀）咳嗽，痰少，喉頭痕癢，聲嘶，呼吸困難，食物作微痛，睡眠時亦往往因咳而醒，亦有兼覺頭痛者。

（經過）急性者約一星期，慢性者約二星期至一個月。

（預後）良

（施灸）天突，風池，隔俞。（用藥艾及乳麝）

4. 喘息

中醫名　哮喘

（原因）此症可分二種，一爲加答兒性喘息，乃氣管枝粘膜之急性腫脹，或急慢性氣管枝炎之併發症，一爲神經性氣管枝喘息，由於迷走神經之刺激，氣管枝括約筋之痙攣。

（症狀）呼吸困難，咯黃綠色之痰，呼吸延長，顏面蒼白，冷汗，每於夜間發作，勞動時尤甚。

（經過）一星期至數年。

（預後）頗良　惟不易全治。

（施灸）天突，大抒，幽門，肺兪。（用藥艾及乳硫）

5. 百日咳

中醫病名　頓咳　連聲咳　亦有稱爲百日咳者。

（原因）由於一種病毒菌之侵入，有傳染性，限於嬰兒，多在嬰兒產下百日內患之，故名百日咳。

（症狀）最初染着時，有二日至五日之潛伏期，在此時期，毫無病徵，迨發見病狀之初期，一星期內，祇發單純之咳嗽，第二星期則咳漸劇，且作鷄鳴聲，且兼有長且深之喘息，呼吸短促，第三星期以後，輕則日發三四次至二十餘次，重則六十至一百次。

（經過）兩星期至三個月。

（預後）良，但醫治失宜，併發肺病者則不易治。

（施灸）天突，肝俞，鳩尾。（單用藥艾）

6. 肺水腫

中醫名稱　類似寒咳

（原因）由於身體虛弱，心力微弱，肺炎，肺癆，等症而起，亦有由傳染而來者。

（症狀）呼吸頻數，呼吸困難，微帶喘息，皮膚呈青藍色，咯稀痰，且痰呈泡沫狀，間有畧帶血絲者，與急性肺炎相類似。

（經過）一二日至一星期。

（預後）危險。

（施灸）天突，肺俞，須無限興奮，祛痰等藥。（單用藥艾）

7. 肺氣腫

中醫名稱　肺脹

（原因）肺臟衰弱，凡患慢性氣管枝炎，痳疹，百日咳，久咳，等症，多併發此病，又四十歲以上之人，亦頗易染此。

（症狀）徵咳，肺部腫脹，呼吸困難，與氣管枝痙攣，心瓣膜等病相類似。

（經過）極長期

（預後）良，但不易根治。

（施灸）瘂門，肺俞，天突，（宜兼服清潤劑）（單用藥艾）

第四節　血行器病

血行器疾患，即關於全身血液流行之疾患，及心臟疾患等皆屬之，茲將其適合於溫灸治療者，分述於下，

1．心悸亢進

中醫名稱　怔忡

溫灸術函授講義　二九

（原因）由於身體衰弱，身心過勞；或受煙酒等刺激品過度激刺而致中毒者，或因胃，腸，肝，腎，子宮，卵巢，等病而發者，當此期之女子，多數患之。

（症狀）無故心之跳動突增，胸部覺甚空洞，如受驚然，脈搏亦增加，呼吸急促。

（經過）視其病原而定，如非中毒者，大約一月至半年。

（預後）亦以病原爲斷，但良者居多。

（施灸）關元，巨闕，心俞。（宜用藥艾）如係中毒性者，宜戒除烟酒）

2. 心臟痙攣

中醫名稱　眞心氣痛

（原因）由於神經衰弱，腸胃病，子宮病而發，或因煙酒中毒而起，患糖尿病，痛風等症，亦多有併發是症者。

（症狀）此症往往於睡眠或操作時間，心部突發劇痛，漸散放於左肩背部左角，不僅心窩苦悶，且心臟絞痛發作時顏面皮膚，均呈慘白色，額流冷汗，四肢厥冷，其持續時間，通常爲數小時，亦有持續至數十小時者。

（經過）一日至五日。

（預後）多數良。

（施灸）肝兪，心兪，肺兪，膻中，（用藥艾乳硫）

3. 心囊炎

中醫名稱　熱心痛

（原因）由於氣結於內臟，急性僂麻質斯，及其他胃腸病等而起。

（症狀）體溫增高，心悸亢進，惡寒，脈搏增加。

（經過）數星期，亦有延長至數年者。

（預後）良

（施灸）巨闕，中腕，膈俞，膞中。（單用藥艾）

第五節　消化器病

消化器疾病，如喉頭，胃，腸，肝，膽，脺，等皆屬之。其中多有適於温灸治療者，玆分述其方法如次：

1．急性胃炎

中醫病名　食傷

（原因）由於飲食過多，暴飲暴食，及食物不化，食冷熱過度之物，或中魚菌之毒所致，亦有因劇烈之熱病而起者。

（症狀）體温暑增，四肢疲倦，頭痛失眠，口淡，口渴，噯氣，呑酸，作嘔，胃痛，痞滿，上腹膨脹，或瀉或結，口臭，小便短少，小孩則往往吐出結塊之乳。

（經過）數小時至二三星期。

（預後）良

（施灸）幽門，臍中，胃俞，（藥艾，畧加乳硫，或藥鹽。）

2. 慢性胃炎

中醫病名　痰飲

（原因）由於久患急性胃炎，或再發，飲食不調，貧血，萎黃病，胃潰瘍，胃鬱血等症而發。

（症狀）不思飲食，口渴，胃脹，噯氣，吞酸，食後作嘔，舌有厚胎，胃痛，晨起作嘔，心神不適，大便秘結。

（經過）兩月至半年。

（預後）良

（施灸）左不容，胃俞，臍中，鳩尾。（藥艾及乳硫）

3. 胃擴張

中醫病胃　名痛

(原因)由於食物過多，飲酒過度，及慢性胃炎，幽門狹言等病而起。

(症狀)不思飲食，舌酸，噯氣作渴，空腹作痛，食後嘔吐，便秘，時覺飢餓。

(經過)數月至數年。

(預後)良如因癌腫而起者，不易治。

(施灸)鳩尾，臍中，胃俞，(藥艾及乳硫)

4. 胃下垂症

中醫病名　無

(原因)由於胃部受壓廹而起，女子之束胸者，及男女之衣服過於狹窄，均易罹此病。

(症狀)不思飲食，精神憂鬱，頭痛，眩暈，心多憂鬱。失眠，多夢，便秘，呼吸困難，胸部脹痛，食物不化。

（經過）兩星期至數月。

（預後）良。

（施灸）上腕，臍中，膈俞。（藥艾及藥鹽）

5. 胃痙攣

中醫病名　胃痛

（原因）由於食物不消化，烟酒中毒，及女子生殖器病而起，亦有由脊髓痨，歇斯的里，胃癌，貧血，萎黃，手淫，胃潰瘍，胃加答兒，間歇熱之後續發此病者。

（症狀）胃部疼痛。脹滿，嘔吐，吐血，吐出之血，呈暗黑色，含有食物渣滓，大便下黑色之血，以手按摩胃部，可暫止痛。

（預後）良

（施灸）鳩尾，腹哀，巨闕，胃俞。（藥艾及藥鹽）

6. 胃酸過多，

中醫病名　呑酸

（原因）由於多食堅硬食物，及有香味之食品所致，亦有因神經衰弱，食物急速，胃受激刺，而起者。

（症狀）胃部脹滿，食慾亢進，易饑，呑酸，胃部微痛，便秘，食酸味之物，即覺反胃，作嘔。

（經過）兩星期至數月。

（預後）良

（施灸）鳩尾，胃俞，臍中。（藥艾及乳硫）

7. 胃酸欠缺

中醫病名　食積

（原因）胃部之酸素過少，胃神經衰弱，病後失調，食物過多，或患種種胃病之後，均易罹此病。

（症狀）胃部時感脹滿，灼熱，消化不良，便秘，食酸性之物，則胃感覺愉快。

（經過）數日至數星期。

（預後）良

（施灸）胃俞，腹哀，臍中，（藥艾及乳硫）

8. 腸疝痛

中醫病名　疝氣

（原因）由於多食腐敗食物，消化不良，蛔虫，宿便，膽石，卵巢病，月經病，臟躁病，鉛銅中毒，腹膜發炎，或腎病肝病而起。

（症狀）臍部作痛，噯氣，作嘔，腹部膨脹，呼吸不調，脈細面青，用力壓之，痛即稍減。

（經過）數月至數年。

（預後）良，但不易根治。

（施灸）關元，命門，臍中。（藥艾及乳硫）

9．風氣疝痛

中醫病名　腹脹

（原因）由於胃腸管閉塞，狹窄，腸炎，痔症，臟躁，神經衰弱，等而起。

（症狀）下腹膨脹，壓痛，腹鳴，且頻頻噯氣，時放响屁，運動多則稍愉快，運動少則更感脹滿。

（經過）一星期至數月。

（預後）良，但治之不妥，易變膨脹。

（施灸）鳩中，外陵，鳩尾，腎門。（藥艾及藥鹽）

10 腹膜炎

中醫病名 衝疝

（原因）由於臟器炎症及子宮炎症之波及，或臟腑熱毒之傳染而發，次則受寒，流行性感冒，傳染病，腸胃病便秘等，亦可引起此病。

（症狀）全身瘦弱，畏寒，發熱，口渴，作嘔，腹部脹痛，以手按摩，畧覺愉快。

（經過）視原因而定，有數星期者，亦有年餘者。

（預後）難治。

（施灸）腹哀，太乙，臍中。（藥艾及藥鹽或乳硫）

11 腹水

中醫病名　癥脹

(原因)由於身體虛弱，鬱血及鬱血性腹水，腎病，癌腫，慢性下痢，心臟病，呼吸器病而起。

(症狀)腹部膨脹，腹皮緊張有光，仰臥以手搖腹；內有水聲。

(經過)時間甚長。

(預後)治之不宜，甚爲危險。

(施灸)承滿，上脘，臍中，關元。(藥艾，及藥鹽。並須兼服利尿劑)

12　急性腸加答兒

中醫病名　水瀉

(原因)由於身體衰弱，胃不消化，腸之蠕動過激，或食生冷物，腐敗菓類，脂肪食品等物過多，均足以惹起是病。

（症狀）腹痛，腹中作响，瀉下水質，及畧帶渣滓之糞，便急時無可忍耐，瀉下之糞，作淡黄色，亦有不覺腹痛，祇大瀉不止者。

（經過）數小時至二三日。

（預後）多數良，但醫治稍遲，亦頗易陷於危險，年老體衰者尤須速治。

（施灸）臍中，大腸俞，胃俞，外陵。（藥艾畧加藥鹽）

13 慢性腸加答兒

中醫病名 濕熱（俗稱疴扭肚）

（原因）由於過食剌戟品，燥熱品，腐敗食物，及一切不潔食品而起，或由急性腸加答兒轉發斯症，又腸潰瘍，腸寄生虫等，亦有兼發是病者，或爲痢疾之前驅症。

（症狀）面色黄白，頻感腹痛，每小時中，往往如厠至十次八次，每次所排泄之糞甚少，且糞作深黄色，具極強之膠黏力，小便短少，亦有肛門覺灼熱或疼痛，或不思飲食者。

（經過）一星期至二三月。

（預後）良，但不易速愈，且治之不宜，往往轉發痢疾，年老及體弱者，更須長時間方能收效。

（施灸）身柱，肝俞，腎俞，臍中。（藥艾及乳硫，或藥鹽，并宜兼服清潤腸胃之藥，及不可飽食。）

14　腸結核性潰瘍

中醫病名　雞鳴下痢

（原因）由於傳染者居多數，次則多食不潔之食品及於患肺結核或其他腸胃病，全身病之後，續發是病。

（症狀）腹鳴，腹痛，作嘔，下腹膨脹，全身日見瘦弱，皮色青黃，每當清晨覺瀉，惟排泄不多，且糞作褐色，有強力之膠黏質，或夾有血液，全身皆感不安。

（經過）數月至兩三年不等。

（預後）危險，倘能悉心調治，亦可獲痊。

（施灸）臍中，大腸俞，中髎。（飲食須十二分注意，幷須兼用內科醫術服藥內治。）（藥艾及乳硫）

15　加答兒性黃疸

中醫病名　黃疸

（原因）由於飲食過度，感冒，憂鬱過度，或十二指腸之波及，起輸胆管之粘膜腫脹或閉塞，胆汁混入胃臟所致。

（症狀）全身皮膚，眼球，口唇，口腔，均呈黃色，尿呈暗褐或暗黃色，不思飲食，精神抑鬱，皮膚騷癢，

（經過）半月至兩月。

（預後）良。

（施灸）鳩尾，臍中，肝俞。（單用藥艾，并須兼服瀉下利尿劑，方易收效。）

第六節　全身營養病

全身營養病，乃不屬於任一臟器，而爲全身之疾病之謂也，此種疾病，習見者亦頗不少，其原因多爲營養料之缺乏，温灸能增加人身之紅白血球，故以治此類疾病，亦頗適宜，謹擇數種，述其治法於下。

1. 糖尿病

中醫病名　甜尿又名尿崩

（原因）身體衰弱，精神過勞，烟酒中毒，色慾過多，腦病，膵病。

（症狀）身體困倦，頭痛，失眠，喉乾，易饑易渴，色慾不振，夜尿頻數，尿色極清而含多量糖質。

(經過)數月至七八年。

(預後)良,但日久不治亦頗危險。

(施灸)臍中,命門,中髎。(鞆艾及乳硫,並須戒絕甜味及含澱粉過多之食物,按日入浴,時作和緩之運動,多食肉類,對飲食起居,均宜特別注意。)

2. 萎黄病

中醫病名　乾血癆

(原因)由於身體衰弱,營養不足,勞心過度,病後欠補,色慾過度,淫慾抑制,手淫。慢性下痢,花柳病,白帶等症;及十四歲以上,二十五歲以下之女子,最易患之。

(症狀)皮色蒼黄,且呈浮腫狀,四肢疲倦,心季亢進。頭暈頭痛,呼吸困難,月經不調,食慾不振。

(經過)數月至一年。

(預後)良。

(施灸)鳩尾，臍中，關元，大腸俞。(菊艾及乳硫)並宜兼服強壯劑。

3. 白血病

中醫病名　無

(原因)由於感冒，月經變常，精神受刺激，梅毒，間歇熱，肺炎，下肢充血，慢性下痢等病而發。

(症狀)脾臟腫大，按之有堅硬之大塊，如係骨髓白血病，則胸骨作痛，如係林巴腺白血病，皮下及腹內淋巴腺必覺腫脹。餘則全身疲倦，食慾不振，心悸頭痛，眩暈，精神頹喪，皮膚騷癢，呼吸短促，小腹胎滿，衄血，下血，吐血，腹水浮腫。

(經過)一年至數年。

(預後)不良。

（施灸）巨闕，臍中，膈俞，大腸俞。（葯艾及乳硫或葯鹽）

4. 腺病

中醫病名　瘰癧

（原因）居住卑濕不潔之地方，空氣不潔，營養不良而起，又有先天後天之分，但其病毒則同爲結核，以十四歲以下之男女，患之最多，但成年人亦有患之者。

（症狀）有遲鈍性與過敏性之分，體質均極衰弱，遲鈍性者，皮下多脂肪組織，面如腫起，皮色青白，口唇肥厚，過敏性者，膚薄易紅，皮下靜脉可透見，淋巴腺腫脹，頭部濕疹，或生膿疱，皮膚生癢疹，或兼患耳漏，結膜炎，眼瞼炎，角膜病，鼻炎，羞明，口有齲齒，脊椎骨瘍，髖關節炎等病。

（經過）半年至數年。

（預後）不良，若日久不治，可惹起關節，腦膜，肺，腸，等結核，或全身結核而死者。

（施灸）大迎，風池，曲池，合谷。（葯艾及乳硫，并須留意起居飲食，多食肉類，多往郊外作柔軟運動，并用温水一小杯，將加里石鹼一二茶匙，和匀，塗擦全背部，經過半小時，始用温水洗去，日塗二三次，以助治療，奏效尤速。）

5. 惡性貧血

中醫病名　血虛

（原因）由於勞心過度，生產，外傷等失血過多，若綿纏日久，易續發腸寄生蟲，胃腸潰瘍，子宮筋腫，梅毒，赤痢等症。

（症狀）皮色青白，毛髮脫落，指甲肥厚，食慾不振，關節作痛，皮膚浮腫，赤血球減少，血稀如水。

（經過）數星期至數年。

（預後）不良。

（施灸）鳩尾，臍中，大椎，大腸兪，（葯艾及乳麝。並須多服補劑，及多食滋養料豐富之食品。）

6. 壞血病

中醫病名　牙疳

（原因）由於營養不良，及食品中植物性太少，或體中積熱所致。

（症狀）全身疲倦，皮膚粘膜，均發出血性紫斑，牙齦腫脹，牙齒脫落，牙齦作深青色，時出牙血。

（經過）數星期至數月。

（預後）良，但遷延日久，亦頗易生危險。

（施灸）臍中，（單用葯艾，并注意起居，多食果類，蔬菜，及清凉去毒之品。）

第七節　神經系病

神經系之疾病，乃關於腦及全身各神經之疾患也。其中適於灸治者。爲數不少，玆分述如下。

1　腦貧血

中醫病名　血虛頭暈

（原因）此症有慢性急性之分，慢性者爲神經衰弱，營養不良，哺乳經久，習慣下痢等；急性爲外傷及生產等出血過多，精神過受激刺，病後失調等。

（症狀）皮膚蒼白，精神欠缺，身體疲倦，時出冷汗，食慾不振，頭痛，耳鳴，頭暈，眼花，作事善忘，或突然暈倒，等症。

（經過）數月至一二年。

（預後）良。

（施灸）顖會，瘂門，肩髃，光溝，（葯艾及乳硫，）并須多食補劑及富含滋養料之食品。

2．三叉神經痛

中醫病名　無

（原因）由於風濕痛，瘧疾，梅毒，鉛中毒，三叉神經壓迫，寒冷，貧血，萎黃病，臟躁，感冒，外傷，及其他頭部疾病而起。

（症狀）面部劇痛，沿三叉神經枝，放射而播及週圍，其狀宛如電刺，神經第一枝痛，爲前頭，眼球及上眼瞼，神經第二枝痛，爲下眼瞼，鼻翼，上齒，神經第三枝痛，爲下唇，下顎，下齒，及舌尖等處疼痛。

（經過）視原因而定。

（預後）多良。

（施灸）神庭，百會，腦戶，曲差，頭維，絲竹空，聽會，大迎。（約艾及乳麝或乳硫。）

3. 偏頭痛

中醫病名　偏頭風

(原因)由於神經衰弱，遺傳，月經不調，貧血，萎黃病，臟躁症，過受喜怒刺激，瘧疾，風濕痛，便秘，憂鬱等症而發，壯年婦女，患此病者最多。

(症狀)全身不快，眩暈，耳鳴，眼花，作嘔等症，其後則半邊頭作劇痛，或減，或劇，頻作嘔吐，此外尚有痙攣性偏頭痛，及痲痺性偏頭痛兩種，　攣性者，患側頭部蒼白，瞳孔放大，顳顬動脈隆起，痲痺性者，患側面部紅熱，瞳孔縮小，顳顬動脈脹大，惟亦有痙攣性與痲痺性混合而發者。

(經過)一年至數年。

(預後)良，但不易根治。

(施灸)頭維，大迎。腦戶，風池。(葯艾及葯鹽)

4. 肋間神經痛

中醫病名　脇痛

（原因）由於歇斯的里，感冒，外傷，貧血，臟躁症，惡液質中毒，瘧疾，脊椎疾患，帶狀疱疹，肋骨疾患，婦人生殖器病，抑鬱，運動過少等而起。

（症狀）其痛處大抵在第五至第八肋骨之間，乃間歇發作，時痛時愈，深呼吸及咳嗽時，即發劇痛，運動時能減少痛苦，休息後，如晨起等，特別疼痛。

（經過）兩三星期至數月。

（預後）良。

（施灸）大抒，肝兪，兪府，步廊，膻中。（葯艾及乳麝或乳硫。）

5. 坐骨神經痛

中醫病名　腰痛

（原因）由於風濕，神經衰弱，腦病，脊髓病，梅毒淋病，糖尿病，貧血，妊娠，身體過勞，等症而起。

（症狀）腰部及臀部之骨作痛，有時且連帶牽及腿骨及膝膕作痛者，痛時日間稍輕，夜間及晨起時最劇，日久不治則兼發脊柱彎曲，精神疲倦，四肢困乏等。

（經過）一星期至數月。

（預後）良。

（施灸）環跳，大腸俞，臍中，足三里。（藥艾及藥鹽。）

6．脊髓炎

中醫病名　脊骨痛

（原因）由於梅毒侵入脊骨，風濕，身體過勞，積熱，色慾過度，多睡冷濕之地，鉛中毒，身體衰弱，等而起，間亦有因發熱或婦女閉經，外感等症，而併發是症者。

（症狀）分急性慢性二種，急性者多突然而起，全體發熱，背腰等部作劇痛，背筋強直，下肢行動不靈，慢性者微覺腰部作痛，歷時數日，始漸加劇，不發熱，惟背腰等骨脹痛，梅毒性者，終日覺痛，非梅毒性者，晨晚劇痛，而中午稍輕。

（經過）二星期至數月，惟梅毒性者往往延至數年。

（預後）梅毒性者不易治，餘皆良。

（施灸）臍中，天突，命門，大腸俞，（藥艾及藥鹽。）

第八節　運動器病

運動器病，如手足，筋，肌肉，骨骼等病是，其中多適於温灸治療，且關節僂麻質斯，脚腫等痛，以普通醫術治之，不易見效，惟施以温灸，則收效極速，玆將此類病症，略述於下。

1. 關節僂麻質斯

中醫病名　痛風　又名風濕骨痛

（原因）屬於一種流行病，每年多在冬春二季發生，又當春末夏初，地土卑濕，人體感受此種濕氣而發生，故中醫認其病源爲風濕，又流行性感冒，亦多併發或續發此症。

（症狀）全身關節痛或一部份關節痛，甚至有兼覺口渴，發熱，關節腫等症者。

（經過）數日至二三星期。

（預後）良。

（施灸）臍中，及局部痛處。（葯艾及葯鹽。）

2. 筋肉僂麻質斯

中醫病名　風濕痛

（原因）此症病源與關節僂麻質斯同，以發於僧帽筋，三角筋，乳頭筋，肋間筋，腰筋等處最多。（各種筋之位置，請參閱本社之參考書。）

（症狀）患此病者，筋肉先發疼痛，繼而腫大或萎縮，亦有筋肉感覺麻木者，其餘症狀，畧與關節僂麻質斯相同。

（經過）數月至數年。

（預後）良。

（施灸）局部患處。（藥艾及藥鹽。）

3，脚氣

中醫病名　亦稱脚氣

（原因）由於身體衰弱，或居處卑濕不潔，或因肉類魚類之中毒，或受細菌傳染，而飲食不慎，營養障害，及站立時間過多，（如警士等）少於運動等而起，但其實際病源，則中西醫家至今仍未有確實之證明也。

（症狀）此病計分乾性濕性急性三種，乾性者初起時足部及下腿知覺麻痺，漸延及上腿，膝部酸軟無力，行動艱難，脉搏增加，濕性者則除上述種種症狀外，足部脛部初發微腫，繼而愈腫愈劇，漸向上升，延至腿部及全身均腫，皮色蒼白，食慾不振，亦有食慾亢進者。急性者則其痛勢進行甚速，除有乾性濕性之症狀外，并覺脉搏跳動增加，呼吸廹速，作嘔，食慾不振，不數日突覺心部痛苦而死，故又名衝心性脚氣。

（經過）一二星期至數月。

（預後）乾性濕性均良，惟急性者頗危險，但施治稍速，亦間能獲痊。

（施灸）臍中，環跳，陽陵泉，足三里。（葯艾及葯鹽）此症除依以上各穴頻頻施灸，每穴約灸十五分鐘外，並宜遷居於乾燥之高地，光線空氣，均宜充足，食紅米所炊之飯，及多服利尿劑，以清體中水份，方易速愈。

4．關節強直及攣縮

中醫病名　與血不營筋畧同

（原因）由於神經衰弱，血液太少，或老人體弱，血液不能營養筋骨，致關節及隨意筋發生障害所致，亦有因關節受傷後或患關節僂麻質斯等病而起者。

（症狀）此症有急性慢性二種，急性者突然身體中之一部份如手足或手指足趾等，突然屈伸不靈，或呈痙攣不能伸直，有並覺疼痛者，有痲木不仁者，亦有絕無痲痛者，慢性者症狀與上同，惟係徐徐發生，初覺甚微，日漸加劇者。

（經過）數月至數年。

（預後）良。

（施灸）臍中，三里，（如在手部則手三里，足部則足三里）局部患處。（藥艾加乳硫或藥鹽。）「按」此症著者嘗爲一患手指強直已四五年者施灸，僅一星期而愈，奏效頗速，輕者祇灸三里及患處，亦能收效。

第九節　生殖器病

生殖器疾患，種類甚繁，屬於花柳病者固多，不屬於花柳病者亦頗不少，其不屬花柳病者，以灸術治之，多能收效，如白濁遺精等症，以藥物治之，往往須一月至數月方能收效，而灸術治療，則數次而愈者亦頗不少，茲特將適於灸治者數種，畧述如下。

1. 遺精

中醫病名　遺洩　又名夢遺

（原因）此病之原因甚多，有因神經衰弱而致者，有因房事過多，手淫過度，憤怒，焦急，之後而起者，有因煙酒中毒而起者，有因年長未婚色慾無從發洩，日有所思，夜營諸夢而而起者，有因用心過度而起者，又睡時膝部受寒，亦極易患者。

（症狀）於入眠後突然洩精，有完全無夢，發洩後始行驚醒者，有於夢中覺與異性交合，或見人性交等，突然受激刺而洩者，有於日中用心過度，或過於焦急之際，突覺便急而洩者。

（經過）一二月至數年，惟數晚一發，或半月一月一發不等，非連續者，若每晚或隔一二晚即洩者，則經過較短。

（預後）良，但治之稍遲，於身體有絕大妨碍。

（施灸）臍中，關元，大腸俞，命門，足三里，（藥艾及乳硫。）

2、遺尿

中醫病名　遺溺　亦有稱爲遺尿者

（原因）此症原因，視患者之年齡而不同，大約稚齡兒童則因渴睡及睡前飲水份過多而致，久之而成習慣性者，中年人則因全身衰弱，營養不良，膀胱痛，或膀胱括約筋麻痺，利尿筋痙攣等病而起，老年人則因身體衰弱，膀胱括約筋弛緩而起。

（症狀）於睡眠中遺尿，有遺後卽醒者，有遺後亦不醒覺者，其重者且有日間亦遺，惟較罕見耳。

（經過）無定。

（預後）良，惟成癖者不易治，如已成癖者，須用催眠術之心理療法，方能奏效。

（施灸）臍中，關元，足三里，腎兪。（藥艾及乳硫。）

3. 陰痿

中醫病名 陽痿

（原因）由於神經衰弱，病後失調，色慾過度，用腦過度，夜睡不足，或花柳病之後，均易罹此病。

（症狀）精神頹喪，面色蒼白，腰膝酸軟，生殖器軟不能舉，或見色而洩，不思飲食，或渴睡或失眠等。

（經過）數月至年餘。

（預後）青年患者良，老年患較難治。

（施灸）臍中，命門，腎兪，（藥艾及乳麝。）幷須兼服滋養食品，每日睡足八小時至十小時，多吸新鮮空氣，在治療期間，戒絕交合。

第十節 婦科病

婦科疾病中，如經期腹痛，流產癖，月經閉止等症，平日中西醫藥，均不易奏效，惟以溫灸治之，則見效極速，茲將婦科病中適於灸治者，擇述數種如下。

1. 月經腹痛

中醫病名 經期肚痛

（原因）由於子宮外口狹窄，子宮筋腫，妨碍經血之排出，子宮內膜炎，子宮周圍炎，卵巢炎，及其他滲出物腫瘍，神經衰弱等而起。

（症狀）月經不依期，經水瘀黑或淡白，在每次經期前二三日，往往發生頭痛，胃痛，作嘔，不思飲食，失眠，畏寒等爲前驅症，經期來時，則發生腹痛，有僅覺微痛者，有劇痛至不可忍者，直至經期完畢，其痛始愈，亦有經來時腹痛一二日卽止者。

（經過）數月至數年。

（預後）良。

（施灸）臍中，上髎，及局部痛處。（葯艾及乳硫。）

2. 月經閉止

中醫病名　閉經

（原因）神經衰弱，精神過受激刺，腺病，腎病，肥胖病，精神病，結核病，萎黄病，子宮病等而起。

（症狀）月經到期不通或略通而止，精神不振，腰痛，胸部不快，不思飲食，面色黃瘦，日久不治，易變爲月經逆行症。

（經過）一二月至數年。

（預後）良。

（施灸）臍中，命門，足三里，（藥艾及乳硫，）宜兼用當歸煎水代茶，以助其速通。

3. 乳汁不足

中醫病名　乳閉

(原因)神經衰弱，病後失調，營養不足，乳腺發育不全，生產過多，生產或外傷失血過多，或初次生產，亦易罹此病。

(症狀)乳汁不通，或乳汁稀少，如係神經衰弱者，則身體瘦弱，面色蒼白，食慾不振。

(經過)數日至數星期

(預後)良。

(施灸)神藏，乳根，鳩尾，臍中。(單用藥艾)並多服魚湯，見效更速，如係初產，宜兼用葱煎水洗乳頭。

4. 流產癖

中醫病名　小產

（原因）此病之原因甚多，若爲偶然發生者，則由於身體衰弱，姙娠發熱，勞動過度，姙娠期性交太多，悞服墮胎藥如「見連」等所致，常習性之流產者，則由於神經衰弱，子宮病等而起。

（症狀）於懷孕二三月，或四五月時，感覺腹痛，數日即流產，有僅流產一二次者，有每次姙娠必流產者。

（經過）無定。

（預後）多良。

（施灸）臍中，腹哀，命門，長強，會陰。（藥艾及乳硫。）如係子宮不正等，須兼用西醫手術扶正，方可根治。

5. 膣加答兒

中醫病名　白帶

（原因）由於神經衰弱，房事過度，及子宮病等而起，亦有在姙娠期中發生此病者。

（症狀）精神不足，食慾不振，身體疲倦等，膣粘膜腫脹，陰唇痛癢，生殖器流出膿狀物，或深黄色，或白色，或紅色，亦有絕無病態，祇流此種粘液者。

（經過）數月至數年，如係姙娠而患此病者，產後即愈。

（預後）良。

（施灸）臍中，關元，陰廉，長強。（葯艾及乳硫。）

第七章 結論

學者至此，對温灸之基礎學識，已瞭然於胸中，然仍未能出而問世也，蓋温灸術爲醫術之一，學者既研究醫學，對於生理，解剖，病理，診斷，諸科，仍當進而研究之，庶將人身之組織病理等，得獲明瞭，然後對治療上方可應付裕如，本編爲節省學者時間起見且限於範圍，不能將上述各科之學識，一一編入，特選定參考書數種，以供學者之研究。

1. 生理衛生學講義　五角
2. 病理學一夕談　三角
3. 初等診斷學教科書　七角
4. 人體解剖實習法　九角

（以上各書皆上海梅白格路一百二十一號醫學書局出版學者可以直接函購）

此外，則實習功夫，尤爲重要，學者既具體明瞭灸術之學理，宜卽置備器械藥品，從事實習，臨症愈多，則獲益愈大，若徒明其理，不加實習，則仍未能認爲成功也。

抑尤有進者，則器械與藥品之選擇，亦爲不可忽視之問題，同爲温灸器也，銅質之厚薄，氣孔之密度，皆與治療上有重大關係，同一乳麝乳硫，或藥鹽藥艾也，因其配製之得宜與否，亦與治療上有莫大之關係，故學者於此，幸致意焉。

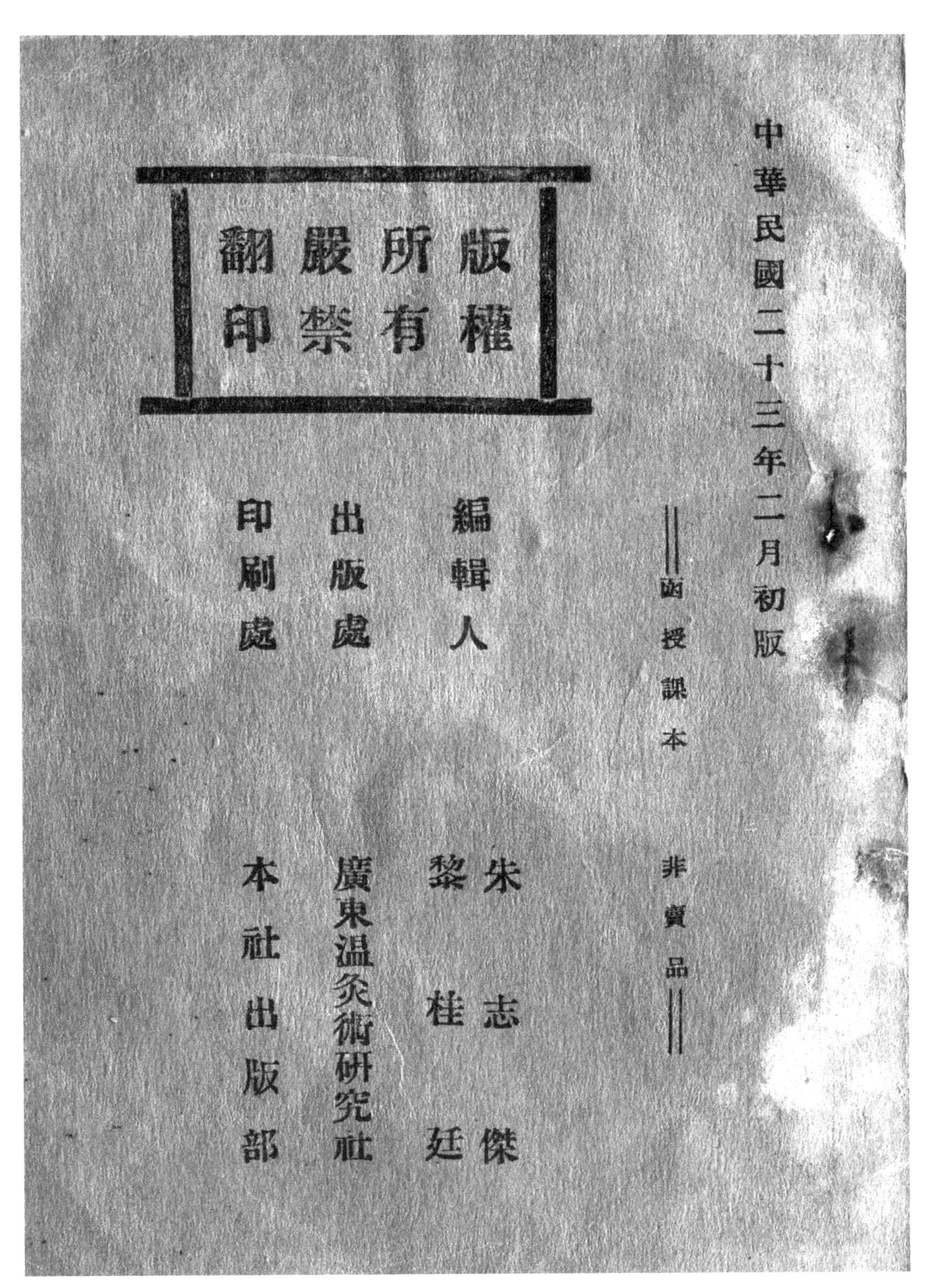
中華民國二十三年二月初版

函授課本　非賣品

編輯人　朱志傑　黎桂廷

出版處　廣東温灸術研究社

印刷處　本社出版部

高等针灸学讲义
（桐柏军区）

提 要

一、作者小传

作者不详。讲义封面上有“中国人民解放军桐柏军区”字样。

二、版本说明

中国人民解放军桐柏军区石印本。

三、内容与特色

该书分前言、经穴学及孔穴学、治疗几种常见疾病的刺激点三部分，其中以经穴学内容最为详细。经穴学中骨度法部分介绍了人体各部位的长度，以便于取穴。该书共载356穴，并将各穴按解剖部位分类，详论每穴的位置、解剖部位、疗法、主治等。

现将该书特色介绍如下。

（一）全面系统地归纳了经穴的位置及解剖结构，指导性强

卷首附忌针穴歌、忌灸穴歌，又有穴位图8幅（第一图，头部、颜面、颈部，74穴；第二图，胸部、腹部，72穴；第三图，侧胸部、侧腹部，8穴；第四图，背部、腰部、臀部、肩胛部，63穴；以及臂前侧部、臂后侧部、下肢内侧部、下肢外侧部4幅）。

文前中医概论部分介绍了中医的生理病理学说及刺激各部穴位时应注意的事项。经穴名称部分概述了同名异穴、异名同穴、一穴三名、一穴四名、一穴五名、一穴六名以上者包含的经穴的名称。

该书经穴学部分，第一章骨度法，简介人体各部位的长度，以便于取穴。第二章穴名及部位，总计介绍356个经穴，详论每穴的位置、解剖部位、疗法、主治等，各

穴按解剖部位分属于头盖、颜面、颈、胸、腹、侧胸、侧腹、背、腰、肩胛、上肢、下肢12部分。该书治疗几种常见疾病的刺激点部分，与冀南军区卫生部编印的《针灸学》相比，有残缺。可见作者在书中详细介绍了经穴的情况，指导性强。

（二）分类总结了针灸治疗的临床适应证，应用性强

该书从内科、外科、妇科、儿科及疑难杂症入手，主要介绍常见疾病的主要组穴及临证配穴，以便于临床应用，涉及的病证主要包括脑出血、脑贫血、失眠、风湿性关节炎、关节挛缩、月经过多、月经过少等40余种。该书所载治疗颜面神经麻痹，取地仓、颊车、迎香、人中、大迎、上关、下关、颧髎等穴，至今仍然应用于临床，效果颇佳。

灸學講
中國人民解放軍桐柏軍區

高等針灸學講義目次

高等針灸學講義

經穴學

㈠沿眉間中央自前頭髮際走頭部正中線至後頭髮際凡十穴

二四

(一)神庭　(二)上星

(三)顖會　(四)前頂

(五)百會　(六)後頂

(七)強間　(八)腦户

(九)風府　(十)瘂門

㈡沿眼之内眥、自前頭髮際離頭正中線外側一寸五分、並行於正中線至頂部線凡七穴。六

(二)、曲差　(三)五處

(三)承光　(四)通天

(五)絡却　(六)玉枕

(七)天柱

㈢沿眼之瞳孔、自前頭髮際、離頭

部正中線外側三寸至項部線
九六穴。 二
(十八)臨泣 (十九)目窗
(二十)正營 (二一)承靈
(二二)腦空 (二三)風池
㊃顳部凡二穴 三三
(二四)攢竹 (二五)陽白 三四
㊄顴顳部凡六穴。
(二六)絲竹空 (二七)本神
(二八)頭維 (二九)頷厭
(三〇)懸顱 (三一)懸釐
㊅自耳之上部向後方、凡六穴 三五
(三二)率谷 (三三)天衝

(三四)浮白 (三五)竅陰
(三六)完骨 (三七)天牖
㊆耳周圍凡十穴 三六
(三八)聽會 (三九)聽宮
(四〇)耳門 (四一)和髎
(四二)曲鬢 (四三)角孫
(四四)顱息 (四五)瘈脈
(四六)翳風 (四七)天容

第二節 顏面部 四一

㊀沿顏面之正中自鼻尖至下方
線凡五穴 四一
(一)素髎 (二)水溝
(三)兌端 (四)齦交
(五)承漿

㊂沿眼之内眥方向至下方線凡

三穴 四二

(六)睛明 (七)迎香

(八)禾髎

㊂沿眼之瞳孔方向至下方線凡

四穴。 四四

(九)承泣 (十)四白

(二)巨髎 (三)地倉

㊃沿目外眥之方向至下方線凡

二穴。 四五

(三)瞳子髎 (四)顴髎

㊄自耳前當下頦隅凡四穴。 四六

(一)上關 (二)下關

(三)大迎 (四)頰車

眉冲 印堂 四八

第三節 頸部 四八

㊀當前頸部之正中凡二穴。 四八

(一)廉泉 (二)天突

㊁前頸部胸鎖乳嘴筋之前後凡

七穴。 四九

(三)人迎 (四)水突

(五)氣舍 (六)扶突

(七)天鼎 (八)天窗

(九)缺盆

第四節 胸部 五二

㊀沿胸部正中線當胸骨部凡六

穴。 五三

(一)璇璣 (二)華蓋

（三）紫宮　（四）玉堂
（五）膻中　（六）膻中
（七）中庭

㈡離胸部正中線外側二寸當副骨線凡六穴。　五四
（一）俞府　（二）彧中
（三）神藏　（四）靈墟
（五）神封　（六）步廊

㈢離胸部副胸骨線之外側二寸當乳線部、凡六穴。　五六
（一）氣戶　（二）庫房
（三）屋翳　（四）膺窗
（五）乳中　（六）乳根

㈣離胸部乳線之外側二寸、前腋當纖部、凡六穴。　五九
（一）雲門　（二）中府
（三）周營　（四）胸鄉
（五）天谿　（六）食竇

㈤胸部之外側凡二穴。　六一
（一）天池　（二）輒筋

第五節　腹部　六二

㈠沿腹部正中線自胸骨劍狀突起至恥骨縫際凡十五穴。　六三
（一）鳩尾　（二）巨闕
（三）上脘　（四）中脘
（五）建里　（六）下脘
（七）水分　（八）神闕
（九）陰交　（十）氣海

(十一)石門　(十二)關元

(十三)中極　(十四)曲骨

(十五)會陰

㊂離腹之正中線外側五分，在第一側線，凡十一穴。

七〇

(十六)幽門　(十七)通谷

(十八)陰都　(十九)石關

(二十)商曲　(二十一)肓俞

(二十二)中注　(二十三)四滿

(二十四)氣穴　(二十五)大赫

(二十六)横骨

㊂離腹部第一側線之外側，當第二側線，凡十三穴。

(二十七)不容　(二十八)承滿

七一

(二十九)梁門　(三十)關門

(三十一)大乙　(三十二)滑肉門

(三十三)天樞　(三十四)外陵

(三十五)大巨　(三十六)水道

(三十七)歸來　(三十八)氣衝

(三十九)急脈

㊃離腹部第二側線之外側一寸五分，在第三側線，凡七穴。

七五

(四十)期門　(四十一)日月

(四十二)腹哀　(四十三)大橫

(四十四)腹結　(四十五)府舍

(四十六)衝門

第六節　胸側部

㊀側胸部腋窩線，凡二穴。

七六

(一)淵腋　(二)大包　充

㊂側腹部凡六穴。

(一)章門　(二)京門

(三)帶脈　(四)五樞

(五)維道　(六)居髎

第八節　背部　公

㊀沿背部正中線自第一胸椎棘狀突起至第十二胸椎棘狀突起之線凡九穴。　公

(一)大椎　(二)陶道

(三)身柱　(四)神道

(五)靈臺　(六)至陽

(七)筋縮　(八)中樞

(九)脊中

㊁離背部正中線之外側一寸五分第一側線凡十穴。　凸

(一)大杼　(二)風門

(三)肺俞　(四)厥陰俞

(五)心俞　(六)膈俞

(七)肝俞　(八)膽俞

(九)脾俞　(十)胃俞

㊂離背部第一側線之外側一寸五分在第二側線凡十穴。　允

(十一)附分　(十二)魄戶

(十三)膏肓　(十四)神堂

(十五)譩譆　(十六)膈關

(十七)魂門　(十八)陽綱

(十九)意舍　(二十)胃倉

第九節 腰部 九二

㊀沿腰部正中線自第一腰椎棘上突起至尾閭骨尖端之線凡五穴。九二

(三十)懸樞 (三十一)命門

(三十二)陽關 (三十三)腰俞

(三十四)長強

㊁離腰部正中線之外側第一側線凡七穴。九四

(三十五)焦俞 (三十六)腎俞

(三十七)大腸俞 (三十八)小腸俞

(三十九)膀胱俞 (四十)中膂內俞

(四十一)白環俞

㊂離腰部第一側綫之外側一寸五分、在第二側綫凡四穴。九八

(四十二)肓門 (四十三)志室

(四十四)胞肓 (四十五)秩邊

㊃後荐骨孔及尾閭骨之外側凡五穴。一〇〇

(四十六)上髎 (四十七)次髎

(四十八)中髎 (四十九)下髎

(五十)會陽

㊄肩胛部凡十三穴 一〇三

(五十一)肩中俞 (五十二)肩外俞

(五十三)肩井 (五十四)天髎

(五十五)秉風 (五十六)曲垣

(五十七)巨骨 (五十八)天宗

(五十九)臑俞 (六十)肩髃

(六一)肩髎　(六二)臑會

(六三)肩貞　三

第十節　上肢

㈠自上膊之前外側經肘窩至拇指撓側爪端之線凡九穴。(三)

(六四)天府　(六五)俠白

(六六)尺澤　(六七)孔最

(六八)列缺　(六九)經渠

(七〇)太淵　(七一)魚際

(七二)少商

㈡上膊前面之正中肘窩之內側經中指撓側爪端之綫凡八穴

(七三)天泉　(七四)曲澤　三

(七五)郄門　(七六)間使

(七七)內關　(七八)大陵

(七九)勞宮　(八〇)中衝

㈢自上膊之前內側至小指撓骨側爪端之線凡九穴。　四

(八一)極泉　(八二)青靈

(八三)少海　(八四)靈道

(八五)通里　(八六)陰郄

(八七)神門　(八八)少府

(八九)少衝

㈣自上膊之外側三角筋停止部經上膊外上髁之前側至示指之撓側爪端之線凡十四穴

六

（四八）臂臑　（四七）五里
（四六）肘髎　（四五）曲池
（四四）手三里　（四三）上廉
（四二）下廉　（四一）溫溜
（四〇）偏歷　（三九）陽谿
（三八）合谷　（三七）三間
（三六）二間　（三五）商陽

㊄自上膊後側之中部經尺骨鷹嘴突起至無名指之尺側指端之線凡十二穴。（三）

（三四）消濼　（三三）清冷淵
（三二）天井　（三一）四瀆
（三〇）三陽絡　（二九）支溝
（二八）會宗　（二七）外關

（二六）陽池　（二五）中渚
（二四）液門　（二三）關衝

㊅於上膊後側之下部自上膊骨內上髁與尺骨鷹嘴突起之間至小指尺側爪端之線。凡八穴。

（二二）小海　（二一）支正。（二一）
（二〇）養老　（一九）陽谷
（一八）腕骨　（一七）後谿
（一六）前谷　（一五）少澤

[illegible]

第十一節　下肢

㊀自鼠蹊窩之中部經大腿骨內上髁勿過內髁之前側、至拇指外側、爪端之線、凡十一穴。[illegible]

（二四）陰廉　（二五）五里

(二六)陰包　(二七)曲泉
(二八)膝關　(二九)中都
(三〇)蠡溝　(三一)中封
(三二)太衝　(三三)行間
(三四)大敦

(二)自大腿前內側之中部經膝蓋骨之內側、勿過內踝之中部至蹈趾之內側爪端之線凡十一穴。三四

(三五)箕門　(三六)血海
(三七)陰陵泉　(三八)地機
(三九)漏谷　(四〇)三陰交
(四一)商丘　(四二)公孫
(四三)大白　(四四)大都

(四五)隱白

(三)於膝關節之內側自大腿骨內上髁之後側、勿過內髁之後側至足之內緣更至足蹠之中部線、凡十穴。三九

(四六)陰谷　(四七)築賓
(四八)復溜　(四九)交信
(五〇)水泉　(五一)照海
(五二)太鐘　(五三)太谿
(五四)然谷　(五五)湧泉

(四)自大轉子之前側經腓骨小頭勿過外踝之中部至第四腓側爪端之線凡十五穴。四五

(五六)環跳　(五七)中瀆

(三二)陽關　(三三)風市

(三四)陽陵泉　(三五)陽交

(三六)外丘　(三七)光明

(三八)陽輔　(三九)懸鐘

(四〇)丘墟　(四一)臨泣

(四二)地五會　(四三)俠谿

(四四)竅陰

⑤自大腿前側之上部、經膝蓋骨之外側、勿過外踝之前側、至第二趾外爪側端之線、凡十五穴

(三一)髀關　(三二)伏兔

(三三)陰市　(三四)梁丘

(三五)犢鼻　(三六)三里

(三七)巨虛上廉　(三八)條口

(三九)巨虛下廉　(四〇)豐隆

(四一)解谿　(四二)衝陽

(四三)陷谷　(四四)內庭

(四五)厲兌

⑥自大轉子與坐骨結節之間從膝膕窩之中部勿過外踝之後側至小趾之外側爪端之線凡十九穴。

(一)承扶　(二)殷門

(三)浮郄　(四)委陽

(五)委中　(六)合陽

(七)承筋　(八)承山

(九)飛陽　(一〇)跗陽

(一一)崑崙　(一二)僕參

五四

(三)中脘　(四)金門
(五)京骨　(六)束骨
(七)通谷　(八)通谷
(九)至陰
太陽

位置：在絲竹孔後上方一寸空陷處、

作用：熱症病引起的症候如頭痛等、三叉神經第一枝疼痛、及顏面神經第一枝麻痺、外眼毛病與眼眶疾患是絲竹孔的附助點。

療法：針五分至八分。

注意：不能刺入骨縫不可用力太大及過深。（該穴係經外奇穴、應填補於第一節頭蓋部）。

6、居髎

位置：章門之下六寸三分、五樞之下一寸五分。

解剖：在大臀筋停止部、之前緣大腸部、有內外斜腹筋循迴旋腸骨動脈、分布長胸神經、及肋間神經分枝。

療法：針八分、灸五壯乃至七壯。

主治：腰部及下腹部痙攣、盲腸炎、肩胛部、胸部及上肢神經痙攣。

（該穴補於第六節側腹部之後

忌針穴歌

靈〃明〃行〃靈〃証〃及〃生〃平〃冥〃形〃終〃平〃
承中莫青通不暈遂幽僂神通
至膻針至亦胎深人投振五皆
却台冲穴上自主屋血髓会節
絡靈閣絡交終容三出中筋闕
枕道骨陽陰子盆神陽閭腔睡
玉神横三三女缺急冲脊胎同
庭〃穴〃上〃里〃谷〃忌〃尾〃倒〃死〃上〃内〃寸〃
神泣陰五合翳鳩暈背頭股三
及承会手針須並人胆乳陰谷
會孫闕筋宜灸門時臟髎腦下
顱角神承不針云深五顴腹之
户息分門婦門有井中泉魚骨
腦顱水闕孕石外肩刺海手腹

忌灸穴歌

平〃髭〃榮〃貞〃行〃陵〃延〃終〃哼〃形〃
維香周肩傾陰脉一叮络
頭迎里尋一迎中用當炮
泣髎府後渠骨關俞此者
臨和天臂經漏髀心為悲
丸髎臁衷際白兔豢終經
承秦大腹魚隱伏白針徒
禁〃穴〃去〃下〃穴〃主〃市〃上〃灸〃用〃
柱明迎尾商香陰經加臍
玉睛人鳩少關上承針一
府竹闕乳冲中輿門針灸
風攢下中中陷犢陰勿針
門竹髎液池五白中而醫
啞絲顴淵陽築條委灸膚

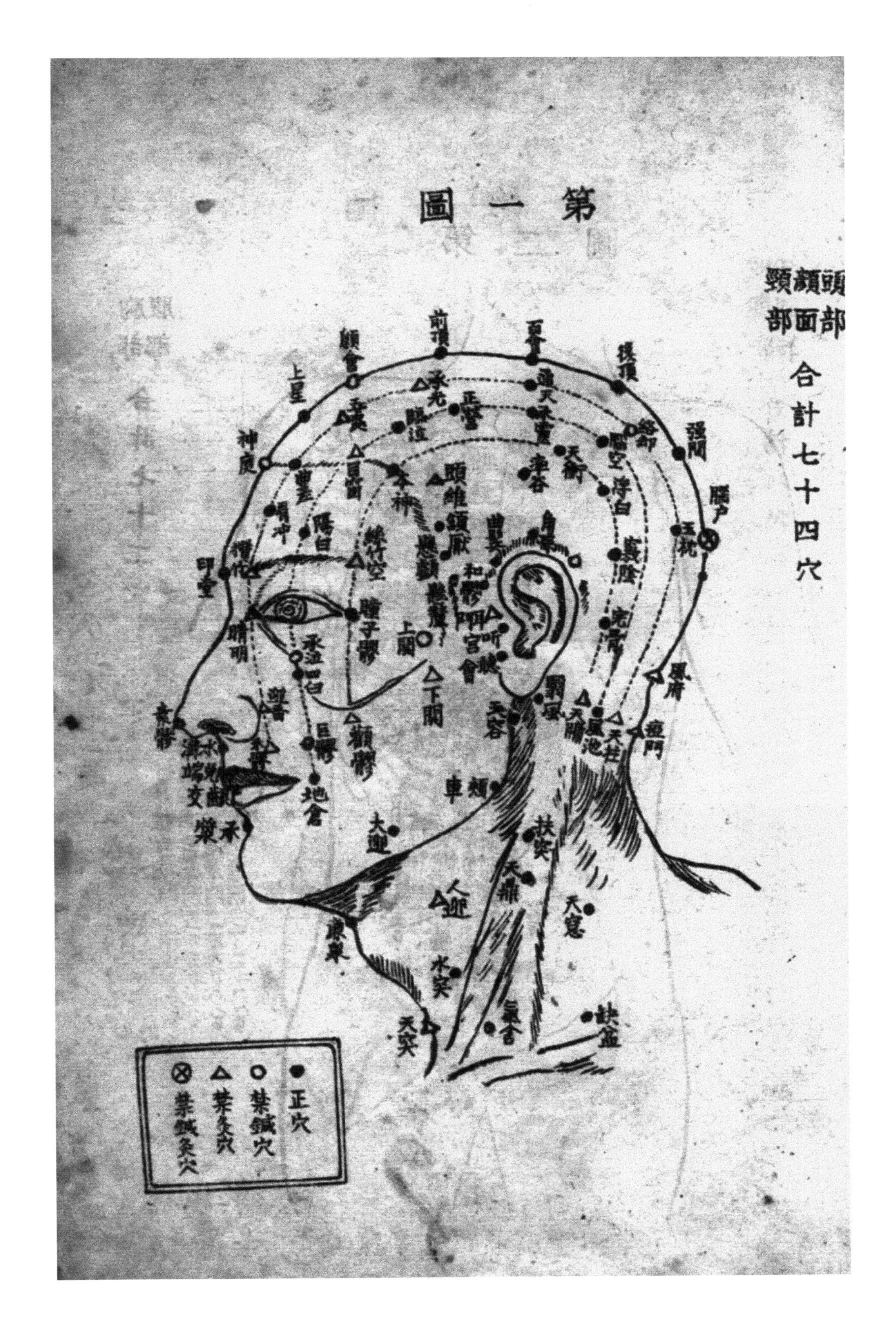
第一圖
頭部顏面頸部
合計七十四穴
前頂
百會
後頂
强間
腦戶
玉枕
風府
瘂門
顖會
上星
神庭
承光
五處
正營
通天
承靈
絡卻
臨泣
目窗
天衝
腦空
率谷
浮白
本神
頭維
頷厭
懸顱
懸釐
曲差
眉衝
陽白
絲竹空
曲鬢
角孫
竅陰
完骨
攢竹
印堂
睛明
瞳子髎
和髎
耳門
聽宮
聽會
上關
下關
承泣
四白
迎香
禾髎
素髎
水溝
兌端
齦交
承漿
巨髎
顴髎
地倉
天容
翳風
天牖
風池
天柱
頰車
大迎
扶突
天鼎
人迎
天窗
水突
廉泉
天突
氣舍
缺盆
正穴
禁鍼穴
禁灸穴
禁鍼灸穴

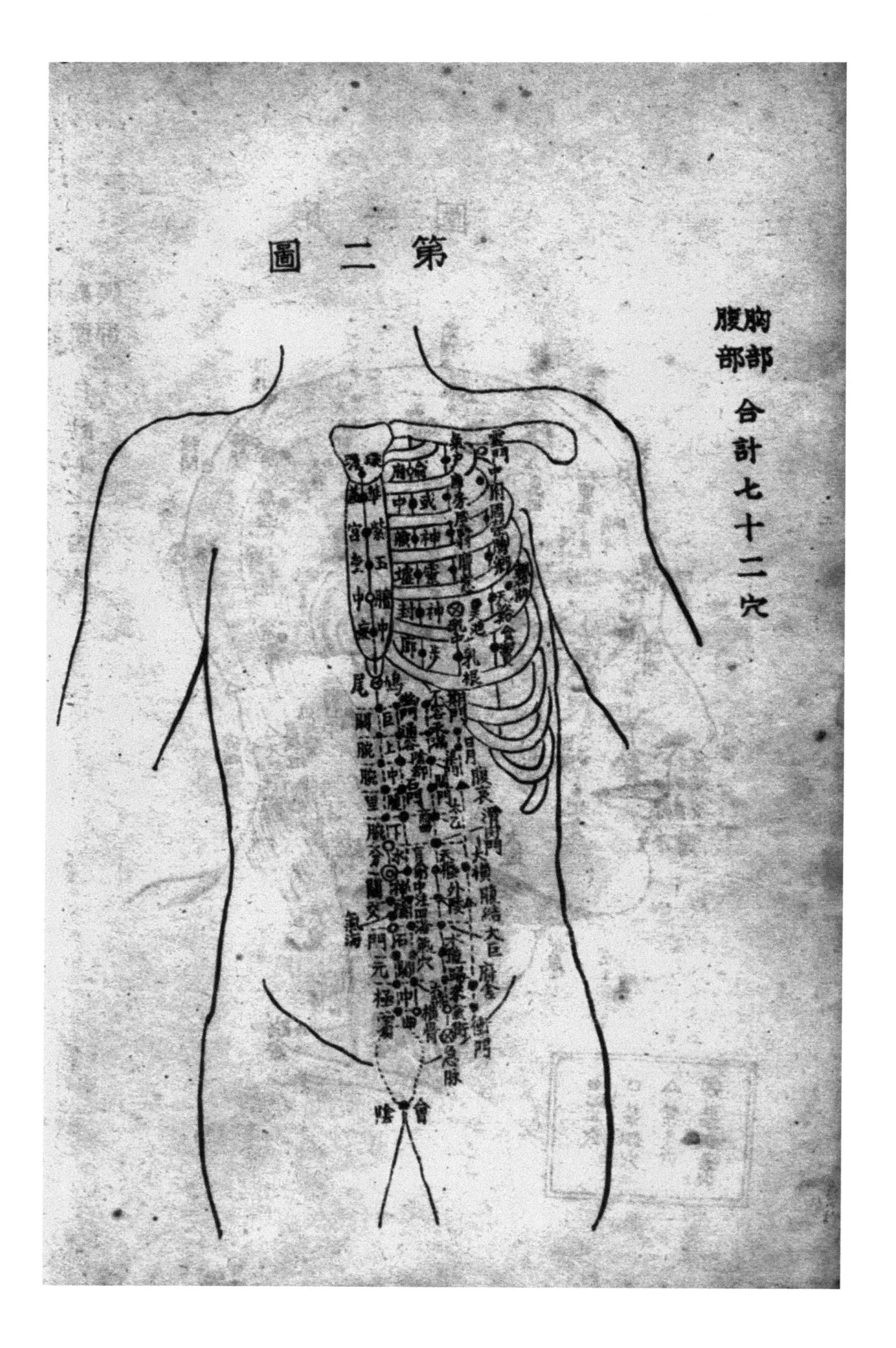
第二圖
胸部
腹部
合計七十二穴

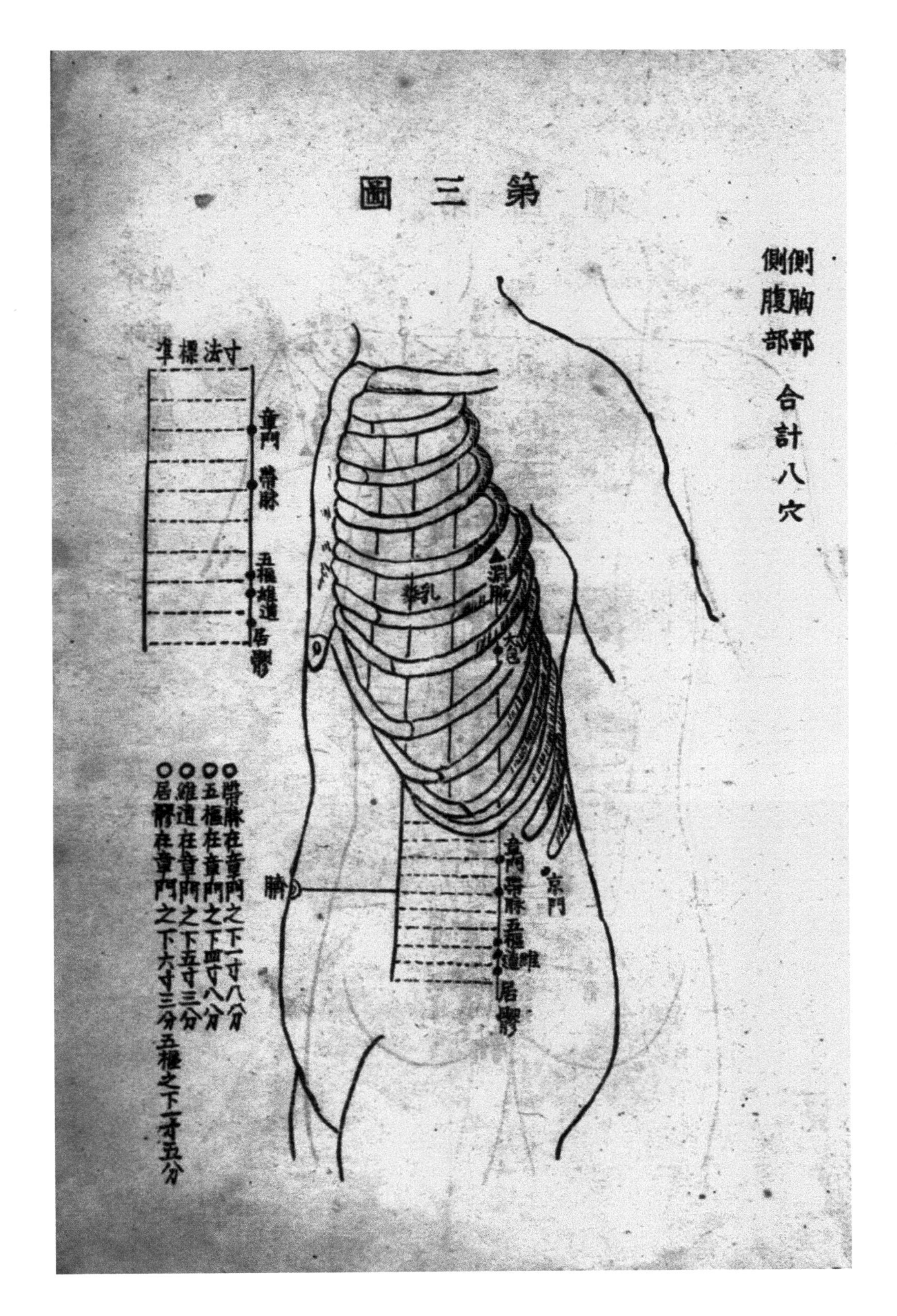
第三圖
側胸部
側腹部
合計八穴
寸法標準
章門
帶脉
五樞
維道
居髎
乳
淵腋
大包
京門
臍
○帶脉在章門之下一寸八分
○五樞在章門之下四寸八分
○維道在章門之下五寸三分
○居髎在章門之下六寸三分五樞之下一寸五分

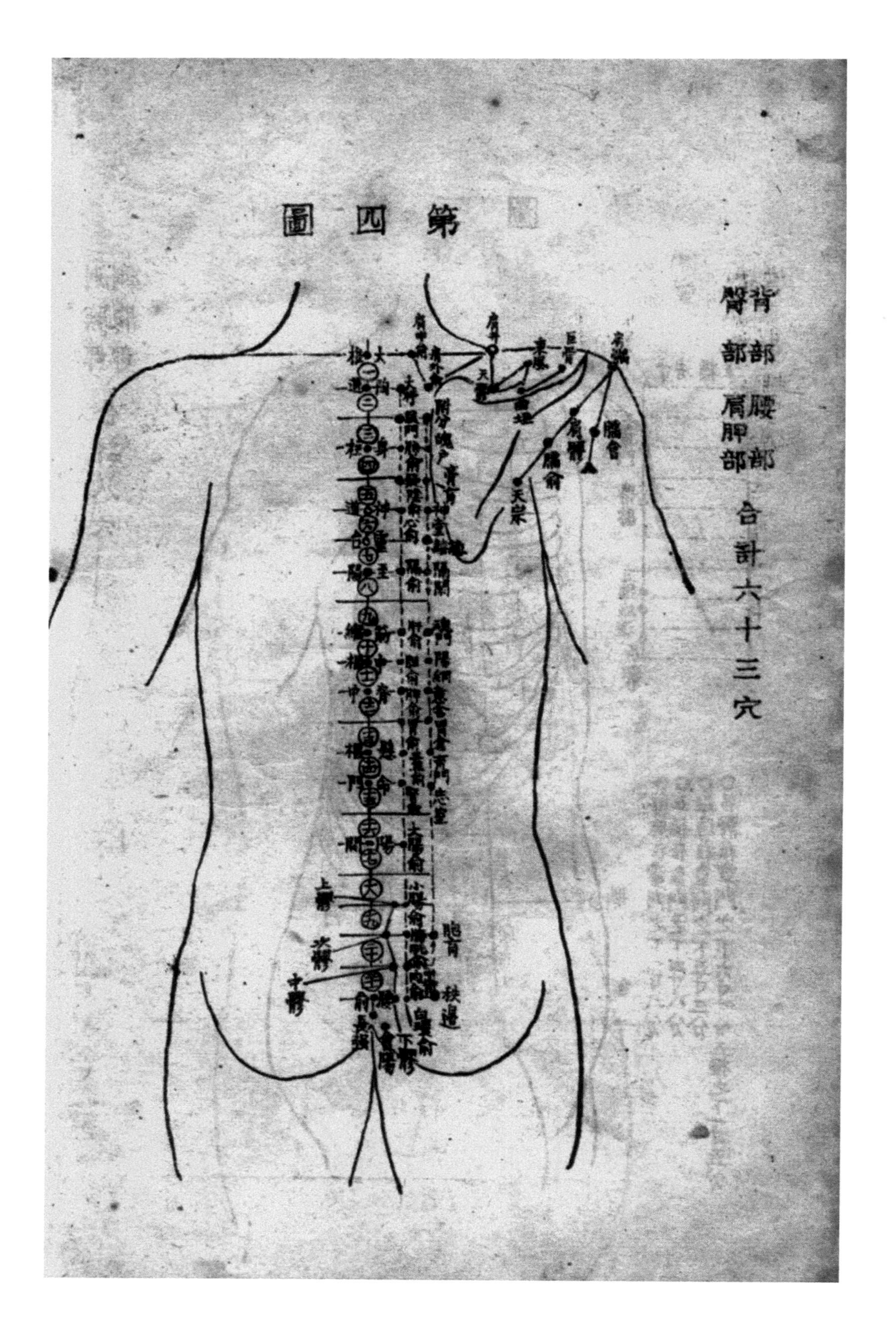
第四圖
背部腰部臀部肩胛部 合計六十三穴

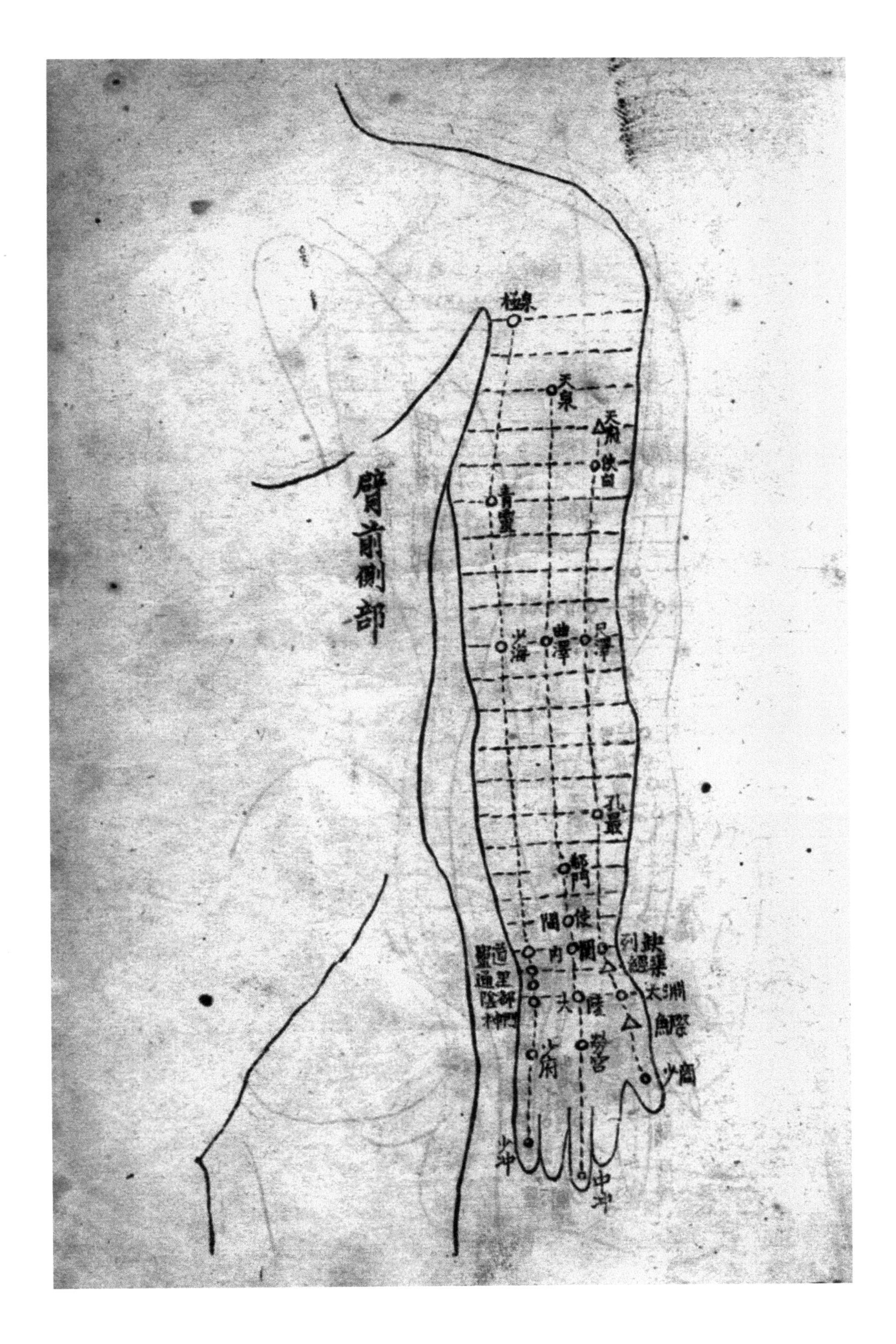
臂前側部
極泉
天泉
天府
俠白
青靈
少海
曲澤
尺澤
孔最
郄門
間使
內關
列缺
經渠
太淵
魚際
少商
靈道
通里
陰郄
神門
大陵
勞宮
少府
少冲
中冲

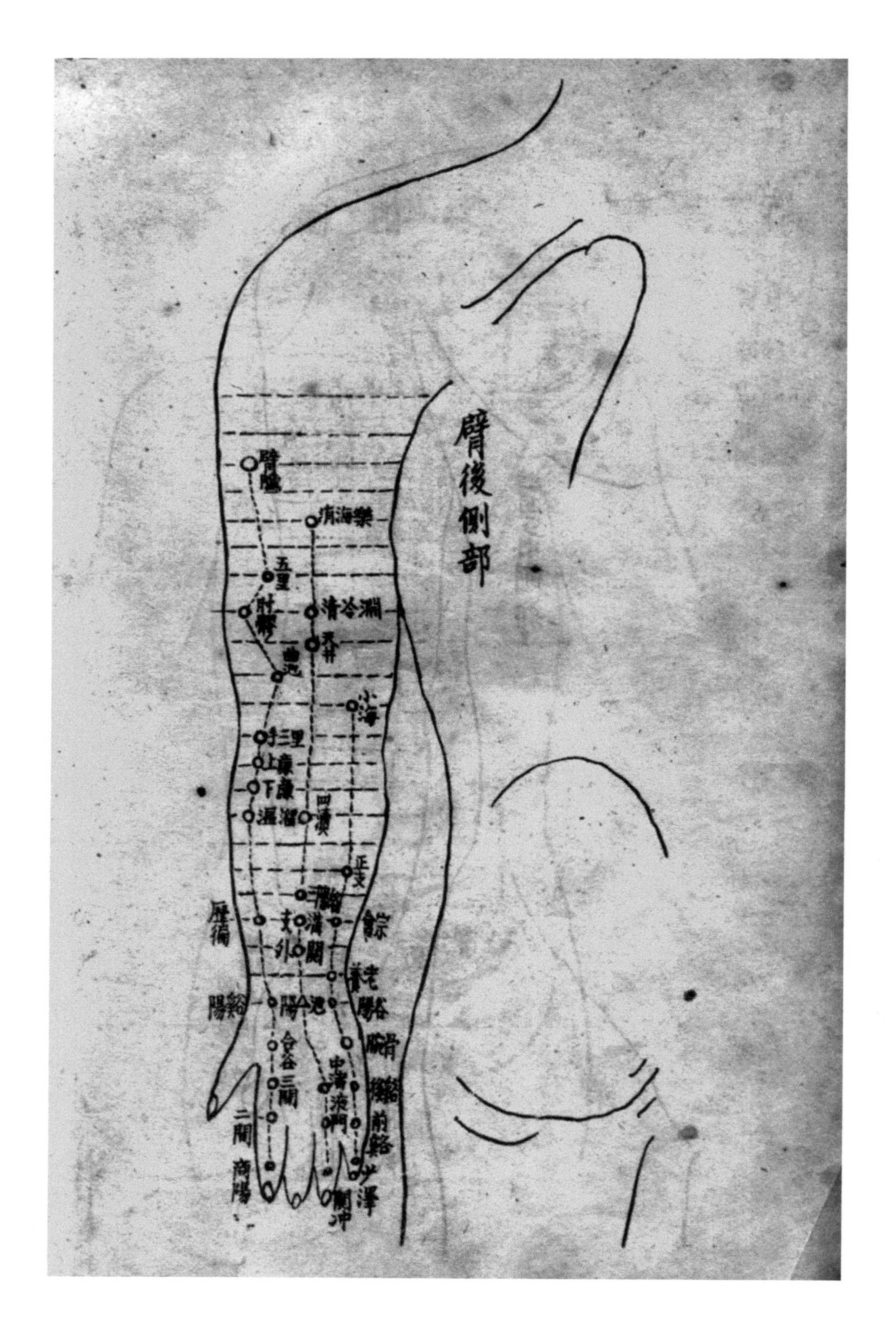
臂後側部
臂臑
五里
肘髎
清冷淵
天井
曲池
小海
手三里
上廉
下廉
溫溜
四瀆
正支
三陽絡
偏歷
支溝
外關
會宗
養老
陽谿
陽池
陽谷
合谷
腕骨
三間
中渚
液門
前谷
二間
商陽
關沖
少澤

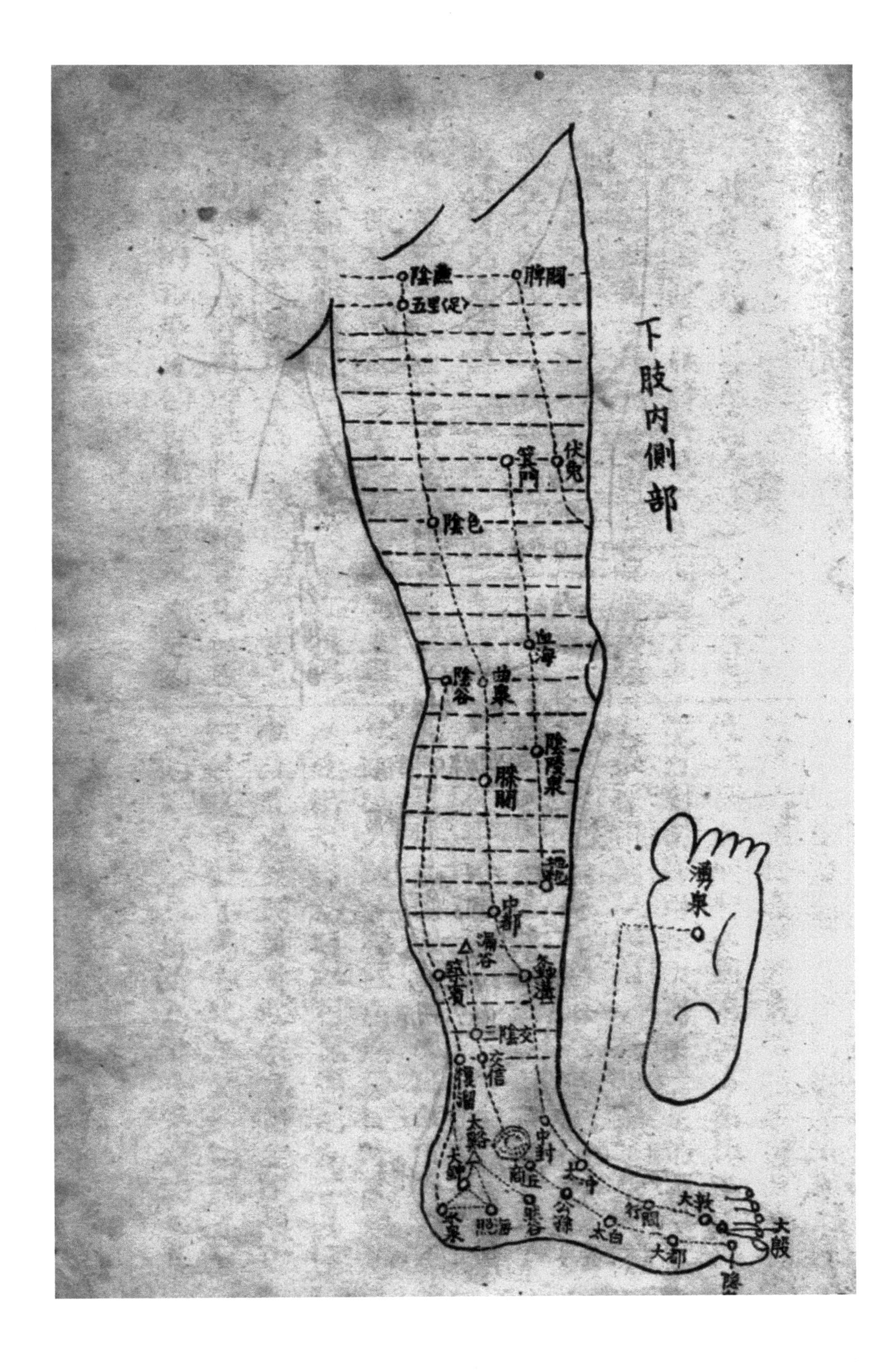
下肢内側部
陰廉
髀關
五里(足)
伏兔
箕門
陰包
血海
陰谷
曲泉
陰陵泉
膝關
湧泉
中都
漏谷
築賓
三陰交
交信
復溜
中封
商丘
大鍾
太衝
行間
大敦
然谷
公孫
太白
大都
照海
水泉

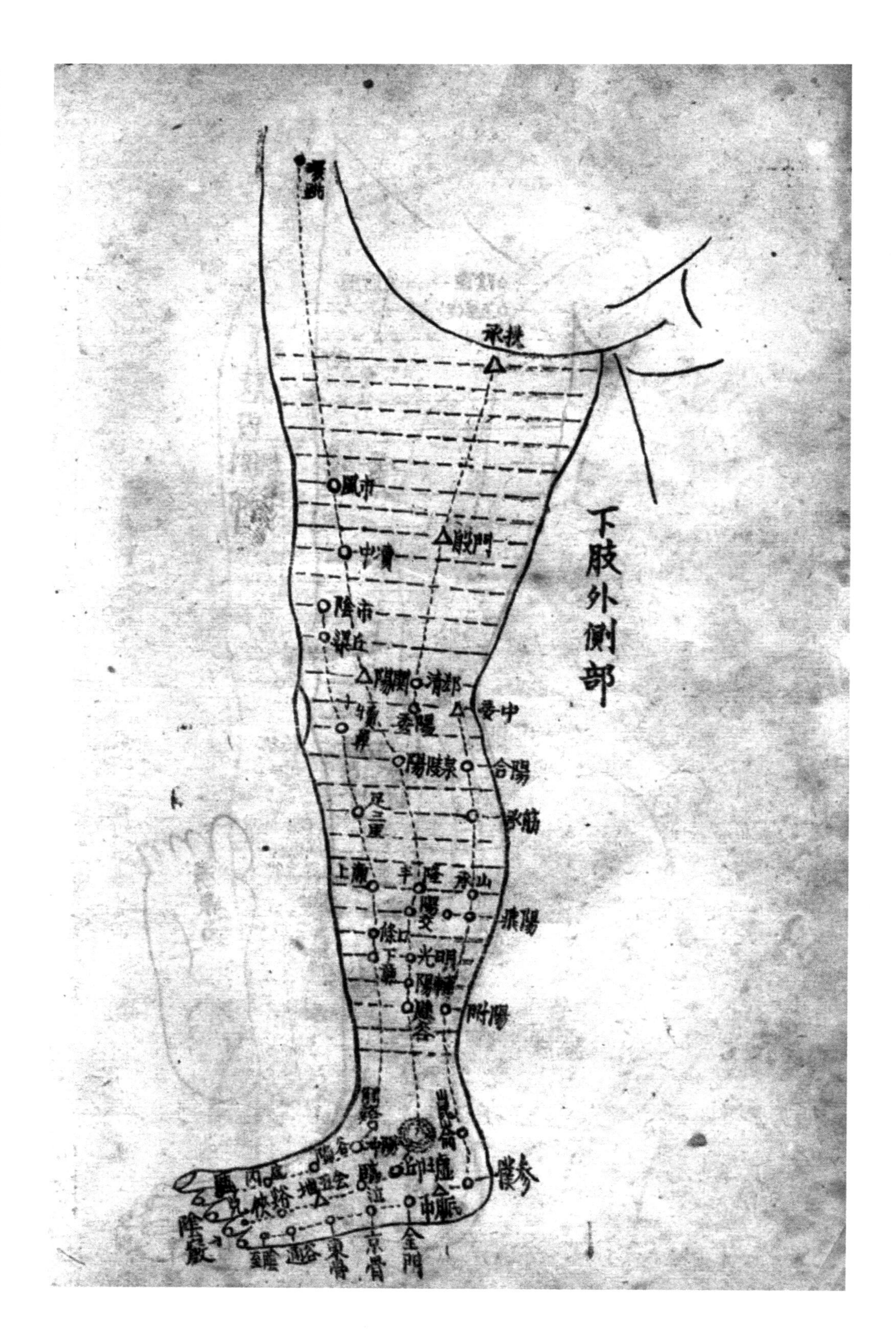
下肢外側部
風市
中瀆
陰市
梁丘
陽關
委中
合陽
承筋
陽陵泉
足三里
上廉
光明
陽輔
懸鐘
附陽
申脈
金門
京骨
束骨
通谷
至陰
僕參

前言

針灸為我國醫學精華之一它能解决我們現在尚不能解決的一些問題、尤其對於慢性病、同時能節約物、在目前的經濟條件下、更為適用、在群衆中亦有高度信仰、它的効能、以現在的科學知識、還不能得到完滿的解答、（例如刺激未稍的某一部、可以發生全身影响、或對遠隔的某一部有影响、這些以現有的解剖生理知識、都不能解释）並於蘇联最近提倡的神經病理學說、互為一致、他的學說是「一切的疾病皆因神經機能的变化所致、因之他的治療目的就給神經以一定的刺激待其功能、恢復他們的方法有大腦按摩術、頸於腰神經叢的阻塞術、但他們僅找到三個刺激點、有許多部位尚不能作用到副作用亦大、需要一定的設備、針灸的作用到副作用小、設備簡單隨時可以施行、他确是一門值的重視的一種科學、我們應該很好的研究和提倡使用。

古代中國醫學以針灸為主、開始在群衆中据傳說、因跌破下腿流血使長期不愈遠隔大腿的神經痛痊癒、從此就想出以砭術治病、初期以石瓦等片為工具、逐漸改進以鉄銅製針、近來多用金銀製的細針、這種針不易氧化、生銹、對組織不起变化、質軟不易折斷、為針灸最好的工具。

据傳說扁鵲為針灸的倡明者、逐漸發展以後、灵樞經、素問、甲乙針灸大成、針灸聚英等書相繼出版、以唐代最為發達并鑄銅人模型製以許多針穴、隔衣刺入提慢練習、唐朝以後逐漸衰落、其原因為社會不進步、不加科學的提高、亂使用不講究診斷、不講究消毒、不懂得解剖知識、各知保守不願外傳、因之弄得十分神秘、被上了封建的迷信外衣、大多數被江湖醫生所採用、出了不少的毛病、在群眾中信仰漸低、半殖民地封建的醫學觀點大家認為它是不科的封建產物、另外由於發明了藥物的治療、這樣逐漸把中醫的精華——針灸埋沒了。

這門科學在日本很為重視、他們對中國的醫學（針灸和藥物）有專門的研究、曾出版了不少的書籍、可惜我們中國受着社會制度的限制、沒有人看得起它、望今後我們要好好的研究、用科學的觀點去分析和採用、擺脫半殖民地半封建的醫學觀點、發揚中國古有醫學——針灸和藥物——創造出最適合於中國國情的新民主主義的醫學。

針灸的効能

針灸有確効但并不是百病皆治、在使用時一定要有較正確的診斷、否則會失掉信心、它的効能表現在下面幾方面：

3

1、調整自主神經對於自主神經如心臟、腸胃、可使之興奮或抑制、列如出汗的病人用針灸可停止發不出汗的病人用針可使他發汗、神經性的速脈或脈博不規、則用針灸可以調整、這些都可明顯的看出、對自主神經能起調整作用・

2、可以增加抵抗力、白血球減少的患者經二三次針灸後可以增加二三倍、這証明對造血器管能增强機能、瘧疾、淋病、霍亂等、本為血液原虫或細菌所引起、用針可以治療或減輕、這也証明增强了抵抗力、使身体將細菌撲滅（白血球噬菌作用）・

3、有局部消炎止痛作用、用於肌肉神經等炎症用針灸可以消退、可以止痛、例如瘰疬初期單用針灸可以治癒、這是很好的証明、炎症性的白血球增多、超过一五〇〇〇的病人、經二三次針灸白血球即下降、局部炎症也減輕、在病理上可能是局部血循环旺盛、腫痛可迅速消退、上述三大効能的表現與蘇联的神經病學説相符合、更進一步的解答尚待我們的努力・

4、最有効的疾病・

A、風濕症、関節神經痛、急性發作時効力顯著、一般二三次則退、退除風濕性関節炎外、對風濕性肌肉神經痛亦有着効、多發性的効力較小、且慢、必須經过一較

4

長的治療時期。對於神經麻痺亦很有效。

B其他一切的神經痛、如胃神經痛和三叉神經痛可以一針即止、較之用藥物效力、要快的多、有的甚至能根治。

C胃腸炎、急性胃腸炎效力更著、三四次即可治痊癒、慢性的較慢（多只限於加答兒性）一般四五次後大便內沒有粘液、十數次後大便次數減少、痛疼減輕約一月以後自覺與臨床症消失。

D肺結核對症治療盜汗可用針灸止之、一般二三次即見效、失眠時用之也有效、一般二三次即奏效可增加食慾調整胃腸之蠕動、咳嗽時也不臨時鎮咳、唯對於退熱尚未找到有效的刺激点（圖書上有記載實用後效不確）對氣管枝炎幾次針灸之後水泡音消失。

E對一切傳染病的治療、對瘧疾有特效、幾乎百分之百的有效、但必須在時間撑握的適當與技術準確的情况下、一般三四次就可以好、第一二次用針灸後雖還有發燒、但自覺症狀減輕、副作用小、且少再發、最近的經驗第一次在發作前二小時用大椎與內關、一次即可停止、繼續用三四次不再發、霍亂初期與迴歸熱等、据書載有效（能減少治癒時間、對肺炎等也有效）我們尚無機會試過、望今後大家注意。

F皮肤病的治療、對湿疹有特效、曾有

患者得全身湿疹有年餘、曾有維他命、高張盐水、自家血液注射、太腸按摩……等等各種内科療法無効後用針灸治療約三星期痊癒、另有二蕁麻疹者、用其他各種方法無効有針灸後停止。

G眼的疾病、如急慢性角膜炎、和結膜炎三四次就見効、曾有一角膜蝕性角膜炎患者求治時双目近呼失明、痛疼不能忍受經一次針灸痛即可停止、三次後炎症著明消退、約二星期翳斑消失視力恢復、對綠内障亦有對症効能、可以臨時止痛減底眼压、但必須作徹底的手術治療、紅彩毛狀体等疾病亦有効能、夜盲亦有奇効

5曾有一個十餘年的夜盲患者經一星期治療晚上可以看報。

H婦女科疾病、因内分泌障碍引起的月經過多或困難用針灸可以調整障痛、微弱可以用針灸使其加强促進分娩婦科之一般炎症疾患有効。

I小兒科的疾病、如喉頭炎、扁桃腺炎、大人也可用、針後兩小時即有効、百日咳等也可用之、但操作比較大人困難不便用。

學習針灸成功的条件。

1、熟悉解剖特别是神經途徑血管肌肉及内脏的解剖知識也不能缺少、否則會出毛病引起大血管的損傷或穿通肋

膜、而得開放性氣胸等危險。

2、确定診断克服中醫只會治病、不會認病的毛病也不要百病首治首先要确定原因是針灸有効的便用不要亂用、否則會失去信心另外還要估計到時間的長短、不是一切疾病立即見効的要有耐心持續的使用。

3、熟練技術部位、與体位要准确、深浅要合適、進針方向也要准确否則効力不大。

針灸的技術

1、要很好的消毒、醫生的手先要用肥皂水洗潔、再有酒精棉花球擦之、病人的皮膚、先用水洗潔、針灸前用酒精棉球擦之、針最好用煮沸消毒、或浸在酒內、否則會引起傳染十分危險。

2、工具的保護也很重要、用前檢查針是否彎曲、有無將要裂斷之處、針尖不能太鋭利、以免損傷組織、但也不能太鈍不易進針、針以圓滑、不要有菱角、不要彎曲為好、用後要擦乾放盒内保存。

3、針灸前的準備、針灸前對病人要很好的解釋和安慰、雖然很小的針、對於全身有極大的震動、常會引起休克、尤以神經質病人、則更應給安慰以便順利的進行治療、飢餓、與疲勞的情況下、不能針灸(嬰兒或過飽時禁用)。

7

4、病人的体位十分重要，首次最好取卧位，以减少休克的發生和减輕症状，所取体位與針灸部位有関，例如頭部取坐位、或頭低位，腹部取平卧位，背部取俯卧位，或坐位，坐骨神經則大腿屈曲的侧卧位，下腿取膝関節屈位……等位置不好不能達到目的，則效力減少或沒有。

5、确定刺激点，一般用二至三個刺激点，即是有主要的和次要的。中醫刺激点很多，有排針刺法，此因不懂解剖所致。刺激点要經常交换，勿重複或少重複，使之休息，否則容易發炎和傳染，針的方面要正确，這要看針刺的部位而决定。

6、刺激的深浅度，中醫一般均浅，害怕傷及重脏器，而我們可以根据解剖的知識，神經為表皮多達經过些什麽組織，下面有何脏器等，而确定之，顔面肌肉少，一般均浅，達到目的（刺到神經）有刺激傳道（触電的感覺）深浅，是以病人中指曲時二 三 節指紋之間的距离為一寸之標准（一般約一公分五）（参看第一圖）我們平常用的針有兩種，就夠了，三寸的和一寸五分的，坐骨神經痛用的針較長，可準備一棵四寸或四寸五分的針。深浅度什重要，浅了不能達到目的，深了損傷下面組織，有生命危險，因之應特别注意。

7、觀察檢查有無反應，與電流感，病人

8

自已覺得疲勞無力、全身或局部發燒、有及有休克的前驅現象（心慌眼花寒冷……等）局部有傳染現象、刺激胃腸不能在飢餓情况下但也不能在腸內容充實情况下進行總之飢餓疲勞的情况下不用。

8、針灸的操作先以指甲緊压刺激點（必須在消毒的原則下）可以麻木表面使針刺時痛覺減少、右手拇食兩指頭持針、左手中食兩指夾針、緩緩進入、左手兩指徐徐上下助之（主要保護針不彎曲）一進半退旋轉而入、不能太急以免損組織、使組織與針相互緊緻並增加病者痛苦、在腹部可按呼吸的次序進針、進真皮時畧覺疼痛、對神經衰弱患者、應特別慢、否則肌肉過度緊張、針不能入、針至皮下則抵抗減少到達肌膜抵抗特大、通過後、則全無抵抗、達目的針有微細之震動病人自覺有觸電感或酸痛或脹等則可輕輕向周圍震動而停針、（中醫為之卧針）停針越長則鎮靜効能越大、若要使之興奮則達到目的針即取出、退針也是旋轉而出、與進針方向相反、不能太快容易傷及組織而引起出血、練習時、可用厚紙或多增布匹習之。

不同的刺激（刺激的強弱時間的長短）給與神經可以產生不同的電流、不同的電流可產生不同的作用、停針與否

9

意思恐怕、也就是這個道理。

針去後即用艾柱灸之、艾内含有蛋白、揮發性油類和一部份規寧其作用、為熱的刺激、加强針的効能使局部充血、艾而要嫩的和乾的、所以中醫要擇選三月三日的陳艾、也是這道理、艾的熱力很高、據日本研究、如有一鷄蛋大的艾團燃燒時、就有300°C的熱力、平時我們用的艾柱約有50°C之熱力、有的把艾柱放在針上、也有直接放在皮肤上、這樣傳熱利害、有損傷組織的危險、我們現在常用薑蒜葱等薄片貼在針孔上、再放以艾柱燃燒之、待病人由温熱感到灼熱、即去悼艾柱、為越緊越好把艾先搗成絨後再做下粗上細宝塔狀、用數以部位而不同、肌肉厚則多灸、薄則少灸、一般常用有三壯、有的部位能針不能灸、有的部位能灸不能針、一般顔面不灸為好、附近有重要血管的不灸、危險區不針、（有些禁針或禁灸的部位以我們解剖知識可以否認、但有些部位的確不可妄加使用、列如啞門之不能灸、據云灸後即不能說話、這些都要我們作進一步的証實）衰弱的病人和妊婦也禁用針灸。

中醫概論

我們研究針灸必須對中醫有個概念、否則不易了解、更不能作批判的接受現在來簡單談談下面幾個問題作為看中醫書與和之初步介紹。

1、中醫解剖名稱的說明、中醫沒有顯微鏡的組織檢查完全依靠臟器的外觀來确定它的名字、因之很不完全的、也不正确與西醫有些出入、中醫稱血管為絡、稱神經為經、稱肌肉為筋、稱肌腱為白筋、內側面為陰面、外側面為陽面、下腿為廉、末稍神經混合叙為會、內臟分五臟、六腑、五臟即心肝脾肺腎（但它所指的脾并不是西醫所說的脾臟實際上是胰臟）上為五大實質臟器、六腑（空洞臟器）為胃（胃也分上中下三脘噴門與幽門部）大腸、小腸、胆、膀胱和三焦（三焦分上中下三焦上焦是指橫隔膜、中焦是指大網膜、焦是指腸間膜）等空洞臟器。

2、中醫的生理學說、中醫沒有生物動物的試驗、完全依靠經驗的推測因此地方很唯心、也很可笑、但也有它比較确的部分、五大實質臟器以他們想象生理作用、而取代名為金、木、水、火、土（金指肺、也知道他行呼吸用、如呼吸不好是生命之危、因之取代名為金、意思是重臟器、木指肝臟因其質硬、但不知其何作用、水指腎臟、因為腎能排尿、但尿從處來、他們不明白、推想是由三焦來、腎尿作用外、尚與神經系統有關、他們認腎虧即輕度神經衰弱、心臟肥生熱當跳動利害的時候人就發燒心跳衰弱時体温不夠同時又鮮紅如火故取代名為火、脾（實際上是膵）的代名為土如上不肥則五谷不豐意思是如膵脏有病影响的消化人即要瘦、六腑中除三焦、其膀胱為泌尿器外其他也知道為消化器管、絡內有津液血液如津液不通則元氣不足這是說如果貧血的話、人則無精神對於皮肤他也知道與呼吸排泄有関他們理論是「皮毛通肺」至與神經系統尤其是中樞神經、生殖器和感覺器則認為很神秘沒有解剖知識更沒有生理知識他們把眼睛認為是神秘的東西、以八卦來解釋小便由腎脏到膀胱排出但沒有找到輸尿管、因之就認為三焦為輸尿的組織。

3、中醫的病理學說、他們的病理學說有二、一為原因一為症狀風寒湿熱暴飲「五情七傷」皆能引起疾病、即是說氣候的影响、常常可以發生疾病住處的環境或湿潮不清潔可以引起疾症、暴飲暴食精神刺激都能引起疾病、又傷包括一般的外傷對於腫瘍、及有找不到的原因他的症狀有邪氣火……等例如高燒時發生的症狀、神經則稱為邪、胃腸和肌肉的痙孪、則称之為氣、氣不散則發生痛疾症称為火、火有陰火陽火虛火實火等、陰火指慢性疾症、如肺結核的進行期他們称為陰火盛、陽火為急性疾症、如瘰疾腫瘍……

12

〻等痘為急性疾症、瘡為慢性疾症。

4、中醫的診斷方法、中醫的診斷技術、大部依靠經驗、他們的方法為望聞問切、望是觀察病人的全身情況、聞是听病人的主訴、問就是問病人、有何發病的原因、當然不像我們那樣科學的週到、切就是切脈、全部技術完全靠此、脈分為速脈、遲脈、硬脈、玄脈、虛脈等、這與我們脈博的分類相似、有些疾病在脈上可以表示、但有些疾病不能靠脈博、因之有時他們的診斷治療有効、有時就毫無効力。

5、中醫的治療方法、最寶貴的方法有二、一為中葯、比西葯要好、副作用少、而効力大、我們好好的研究、的確要勝過西葯、一為針灸、可惜這二大科學、被社會制度的限制、而不能發展和提高。

我們是新醫學的創造者、我們需要唯物辯証法的觀點、來批判的接受各種科學、加以綜合提高、而成為最適合我們的新民主主義醫學。

各部刺激點應注意事項說明

A前胸刺激點：

1、胸部刺激点用處很小、只有極少數用前胸、常以背部刺激点能達到目的。

2、該部比較危險、胸壁很薄、如不熟悉解剖、過深時容易出乱子、故只選其幾個重要刺点使用之、如璇璣、膻中、庫房、可用其它可少用或尽量不用。

13

B 腹部刺激点

1、腹部進針比别處困難、於呼吸有極大的関係、因之進針、應隨呼吸而作、吸氣時停止進針、呼氣時則進、否則抵抗太大、針容易彎曲以致無法刺入。

2、腹部進針之深淺度、首先經過皮神經、肌膜下神經而至腹膜神經、必須作用到下層才能有効、如進針困難時、則達肌膜下神經後、可稍停後再入、或首次淺些、以後再深、据書載其深度可直接刺到腸胃沒有危險、但必須注意消毒、在我們平時使用以不穿過腹腔為好。

3、特别注意消毒、否則引起傳染、十分危險。

4、在飢餓情况下不針、但過飽後也不好、一般是在飯後二三小時為最合適。

C、背部刺激點：

体位：上背部可取稍彎之坐位、必要時取腹臥位、(胸部稍墊高)頭略低腰及臀部附近取平腹臥位、盡量使腰肌肉弛緩。

1、深淺度：必須刺到脊髓神經枝、及交感神經枝、深了很危險、尤以脊髓兩側為最難、如肺俞過深可得放性氣胸、三天死亡、心俞一天死、脾俞肝俞腎俞多在五至七天死亡。

2、進針技術比較困難、因肌肉厚容易收縮緊張有推開勒勞抵抗特大、故進針十分困難、同志們須耐心去做。

注意：書中穴名上边有○者為孔穴、

14 穴名旁有一一者係按魯部長所著針灸學修改過的、主詞內有作用二字者係魯部長之針灸學作用也。

經穴之名稱

經穴之名稱、種種不一、有同名異穴者、有異名同穴者，皆沿襲舊本之經穴之名、故生歧異、舛錯訛謬，或不能免，特揭如下。

(一)同名異穴

頭之臨泣　足之臨泣　背之陽關
足之陽關　頭之竅陰　足之竅陰
腹之通谷　足之通谷　手之三里
足之三里　手之五里　足之五里
手之上廉　足之上廉　手之下廉
足之下廉

(二)異名同穴

1、一穴二名者

神庭 髮際　曲差 鼻衝　后頂 交衝
通天 天臼　腦空 顳顬　強間 大羽
目窗 至榮　顱息 顱顖　瘈脈 資脈
竅陰(頭) 枕骨　素髎 面王
迎香 衝陽　地倉 會維　大迎 髓孔
顴髎 兌骨　懸顱 髓空
人迎 天五會　水突 水門　扶突 水穴
天鼎 天頂　天窗 窗籠　缺盆 天蓋
肩井 膊井　大椎 百勞
神道 臟俞　厥陰俞 闕俞　心俞 背俞
胃俞 高蓋　中膂俞 脊內俞

15

中髎 中空 會陽 利機 魄戶 魂戶 志室 精宮 玉堂 玉英

俞府 輸府 乳中 當乳 乳根 薜息 巨闕 心募 下脘 幽門

幽門 上門 石關 石闕 商曲 高曲 四滿 髓府 大巨 腋門

歸來 谿穴 氣衝 氣衝 期門 肝募 大橫 腎氣 淵液 腋門

天池 天會 維道 外樞 少商 鬼信 大淵 鬼心 列缺 童玄

間使 鬼路 天泉 天溫 少衝 經始 少海 曲節 商陽 絕陽

二間 間谷 三間 少谷 合谷 虎口 陽谿 中魁 肘髎 肘尖

五里 尺之五里 陽池 別陽 支溝 飛虎 三陽絡 通間 少澤 小吉

前谷 手太陽 漏谷 太陰絡 地機 脾舍 血海 百蟲窠 中封 懸泉

蠡溝 交儀 陰包 陰胞 涌泉 地衝 梁丘 跨骨 陰市 陰鼎

僕參 安邪 懸鐘 絕骨 金門 關梁 附陽 附陽 飛陽 厥陽

一穴三名者

絡卻 強陽 腦蓋 絲竹空 巨髎 目髎 睛明 淚孔 淚空

聽宮 多所聞 窗籠 禾髎 [illegible] 長頻 廉泉 本池 舌本

16

承泣 鼷穴 面窌 臑會 顳窌 臑交 脊中 神宗 脊俞

命門 屬累 竹杖 天突 玉戶 天瞿 中脘 大倉 胃募

水分 中守 分水 神闕 臍中 氣舍 陰 食宮 通關

氣穴 胞門 子戶 大赫 陰維 陰關 横骨 下極 屈骨

日月 膽募 神光 衝門 慈宮 上慈宮 尺澤 鬼受 鬼堂

大陵 心主 鬼心 溫溜 逆注 蛇頭 曲池 鬼臣 陽澤

臂臑 頭衝 頸衝 隱白 鬼壘 鬼眼 三陰交 承命 太陰

然谷 龍淵 然骨 衝陽 會原 會湧 巨虛下廉 下廉 下巨虛

巨虛上廉 上廉 上巨虛 伏兔 外勾 外丘 陽輔 絕骨 分肉

陽交 別陽 足窌 環跳 髖骨 分中 申脈 鬼路 陽蹻

承筋 腨腸 直腸 三里(足) 下陵 鬼邪

又、一穴四名者

上星 鬼堂 明堂 神堂 勞宮 五里 鬼路 掌中

顖會 顖上 鬼門 顖門 腦戶 匝風 會額 合顱

瞳子髎　太陽　前關　後曲
膻中　元兒　上氣海　元見
陰交　少關　横戶　丹田
中極　氣原　玉泉　膀胱募
京門　氣府　氣俞　腎募
復留　伏白　昌陽　外命
陽關　關陵　陽陵　關陽

廿一穴之五名

風府　舌本　鬼枕　鬼穴　曹谿
承漿　天池　鬼市　懸漿　垂漿
肩髃　扁骨　中肩井　扁骨　肩尖
上脘　胃脘　上紀　胃管　上管
腹結　腹屈　腸結　腸窟　陽窟
17
委中　郄中　委中央　血郄　腿凹

頰車　機關　鬼床　曲牙
中府　膺中俞　肺募　府中俞
氣海　脖映　下肓　丹田
曲骨　尿胞　屈骨　屈骨端
神門　兌衝　中都　銳中
太谿　呂細　照海　陰蹻
承山　魚腹　肉柱　傷山
瘖門　舌横　舌厭　瘂門　舌腫
上關　客主人　客主　容主　太陽
鳩尾　尾翳　髑骬　神府　骬骭
會陰　屏翳　金門　平翳　下極
章門　長平　脇髎　脾募　肋髎

18

5、一穴六名以上者

水溝　鼻人中　鬼宮　鬼客廳　鬼市　人中

攢竹　員在　始光　夜光　明光　元柱

石門　利機　精露　丹田　命門　三焦募

關元　下紀　次門　丹田　大中極　小腸募

天樞　長谿　谷門　大腸募　循際　長谷

百會　三陽五會　鬼門　泥丸宮　巔上　天滿　三陽　五會

腰俞　背解　髓空　腰戶　髓孔　腰柱　髓俞　髓府

長強　窮骨　骶上　骨骶　氣之陰郄　龜尾　尾翠骨　龍虎穴

曹溪路　三分閭　河車路　朝天巔　上天梯　撅骨　尾閭

氣郄

高等針灸學講義

日本東京針灸醫學研究所長猪又啓岩原本
中國東方針灸書局主任張俊義譯述
中國寧波東方針灸書局藏板

經穴學及孔穴學

甲、經穴學

經穴學在針灸醫術、為最重要且不可或缺之必修學科也、依古人之所述、人体有手足三陰三陽之十二經、通氣血道所謂十二經者、即手太陰肺經、手少陰心經、手厥陰心包經、手陽明大腸經、手太陽小腸經、手少陽三焦經、足太陰脾經、足少陰腎經、足厥陰肝經、足陽明胃經、足太陽膀胱經、足少陽膽經是也、其位皆在左右、又別之為奇經八脈、曰督脈、曰任脈、曰陽蹻脈、曰陰蹻脈、曰陽維脈、曰陰維脈、曰衝脈、曰帶脈、其中督脈走体後之正中、任脈走体前之正中、以此二脈、合前述之十二經是謂十四經、即宜於施行針灸之經路也、故曰經穴。

穴之數、據十四經發揮所載（據十四經發揮、為我國元代滑伯仁著）其總數為六百五十七穴、正中五十一穴、左右各三百有三穴、合之為六百六穴、以十四經分配之如次、手太陰左右各十一穴、手少陰左右各九穴、手厥陰左右各九穴、手陽明左右各二十穴、手太陽左右各十九穴、手少陽左右各二十三穴足太陰左右各二十一穴、足少陰左右各二十七穴、足厥陰左右各十三穴、足陽明左右各四十五穴足太陽左右各六十三穴、足少陽左右各四十三穴、督脈正中二十七穴、任脈正中二十四穴。

尚有阿是穴、一名天應穴、本編從畧。

以上所述譯自日本奧村三策氏之按摩針灸學、俾讀者得明經穴學十四經之名稱、及其部位、茲為便於學者之研究、仍準據豬又啓巖氏之經穴學、及孔穴學譯述該氏原本係依解剖學的骨學分類、自頭部順次記述、據該氏原本言、身体片側、其數合計有三百五十六穴、其中五十二穴在身体之正中、(按奧氏本身体正中為五十一穴)三百四穴、各在其左右、(按奧氏本、身体左右、各為三百三穴)合計之、其總數為六百六十穴云、是與奧氏本又少有出入矣、因就奧氏本之說、有疑義者而並存之、旁參吾國之甲乙經、俾便讀者之參證。

第二章　骨度法

凡定穴而用尺度、隨身体之大小肥瘦而異、故不能用真之尺度、古人所定之骨度法、或從某處與某處之間、假定幾寸、用造尺度、以為測度、此即折量分寸之法、名曰同身寸、又有合患者之拇指與中指之端造成環狀（男左、女右）於中指第二節之撓側至横皺之間定為一寸之法名曰同指寸、此法因身体之肥瘦、指之長短難得正穴、故不甚用、今舉同身寸骨度法之分寸如左。

術者對於各人之肥瘦長短、小兒婦人、及發育不全者、不可不斟酌其尺度。

一、人之身長七尺五寸。

二、頭之大骨周圍二尺六寸。

（案頭之大骨、頭蓋骨也）

三、自前髮際至後髮際一尺二寸。

（案前髮際在眉上三寸之處、後髮際在第七頸椎上三寸之處。）

21

四、自前髮際至頤一尺。

五、自額角至天柱骨一尺。

（案額角在額之兩側、天柱骨在鎖骨之外端、與肩峯突起相連之處。）

六、兩顴骨之間相去七寸。

註甲乙經九寸半

（案此言顴骨結節）

七、耳之前當耳門、廣一尺三寸。

（案耳門在耳角（耳翼之前隆起）之上、其廣自右耳門至左耳門間）

八、耳之後當完骨、廣九寸。

（案完骨、乳嘴突起也、廣與前同、自右至左間）

九、自後髮際至背骨三寸。

註奧氏本二寸五分、甲乙經三寸五

22分。）

（案：背骨為第七頸椎棘狀突起。）

十、自結喉至缺盆之中四寸。

（案：結喉為喉頭之隆起（即甲狀軟骨）。缺盆，鎖骨也，故為缺盆之中，與兩鎖骨之間，不可誤缺盆之穴。）

十一、胸之周圍，四尺五寸。

（案：宜以乳頭之高處測之。）

十二、兩乳之間，九寸五分。（按兩乳之間，應照大成橫折作八寸。）

十三、自缺盆至髑骬九寸。

（案：缺盆為胸骨上窩，髑骬為胸骨劍狀突起。）

十四、腋中不見之處四寸。

（案：此言自肩峯鎖骨關節至腋窩之長度。）

十五、自腋至季脇，一尺二寸。

（案：腋為腋窩，季脇為第十一肋骨之前端。）

十六、自季脇至髀樞，六寸。

（案：髀樞，大轉子也。）

十七、腰之周圍，四尺二寸。

（案：以臍之高處測之。）

十八、自髑骬至天樞，八寸。

（案：天樞言臍，不可誤天樞之穴。）

十九、自天樞至橫骨，六寸五分。

（案：橫骨為恥骨軟骨接合之處。）

二十、自膂骨至尾骶，二十一節，長三尺。

（案膂骨為第一胸椎棘狀突起、尾骶為尾閭骨。）

二一、自肩至肘、一尺七寸。

（案肩為肩峯突起、肘為鶯嘴突起。）

二二、自肘至腕中横紋、一尺二寸。

註、與氏本甲乙經皆一尺二寸五分。

（案腕中横紋、在腕關節横紋處。）

二三、自腕中横紋至中指本節四寸。

二四、自中指本節至其端四寸五分。

二五 自横骨上廉至內輔上廉、一尺八寸。

（案横骨者、恥骨軟骨接合處也、上廉者、上緣也、內輔者、為膝內側之骨、兩大腿骨之內關（節踝與脛骨之內關節踝相合處也。）

二六、自內輔之上廉至下廉、三寸五分。

（案上廉者、上緣也、下廉者、下緣也。）

二七 自髀樞至膝、一尺九寸。

（案髀樞者、大轉子也。）

二八、自內輔之下廉至內踝、一尺三寸。

二九 自外輔之下廉至外踝、一尺四寸。

三〇、自膝膕至跗屬、一尺六寸。

（案跗屬、當跟骨之外側。）

三一 自內踝至地、三寸。

（案地者地面也、即足着地之處。）

三二、自外踝至京骨三寸。

（案京骨為第五蹠骨後端外側突出之處、所謂第五蹠骨結節者是。）

三三、自京骨至地一寸。

註與氏本自京骨至地三寸、甲乙經京骨以下至地長一寸。

三四、自跗屬至地三寸。

三五、足之長一尺二寸。

(案足長為自踵至趾處)

三六、足之廣四寸五分。

(案以足蹠之最廣處計之)

第二章　穴名及部位

第一節　頭蓋部(參照第一圖)

(一)沿眉間中央自前頭之髮際走頭部正中線至後頭髮際凡十穴。

1、○神庭

位置、自鼻上將達入前髮際。

解剖、在前頭骨部有前頭筋循鼻前頭動脈、分布前頭神經。

療法、針三分至五分。

主治、前額神經痛眩暈急性鼻加答兒、淚腺加答兒嘔吐鼻出血。

2、上星

位置、鼻上中央神庭上方一寸半。

解剖、在前頭骨部有前頭筋循鼻前頭動脈分布前頭神經。

療法、針二分灸五壯。

主治、顏面充血前額神經痛鼻茸鼻孔閉塞衄血之對症療法主要刺激點、角膜白翳眼球充血間歇熱。

3、○顖會

位置、在上星之後方一寸五分陷中。(

按：奥氏本言當大顖門）

解剖：在前頭骨上緣、顱頂骨縫合部、帽狀腱膜中、循蔵顳顬動脈、分布前頭神經。

療法、針三分至五分、小孩子不刺、灸七壯至十四壯。

（注意）小兒滿七歲以下、顖門尚未縫合、針灸皆為禁穴。

主治：腦貧血性頭痛、眩暈、顏面蒼白、腦血顏面充血、多眠症、主要鎮靜特別對於小孩子失眠、一切神經症狀、顱頂炎症、如皮膚病、濕疹、毛　炎等。

按：是穴參查日本諸書、或言禁針、或言針灸良、但於療法則皆言針一分、灸三壯、而甲乙經獨言刺入四分、灸五壯、應以日書為準、此係險穴、初學以不針為宜。

25

4、前　頂

位置、顖會之後一寸五分。

解剖：在頭蓋之正中線、左右顱頂骨之縫合部、帽狀腱膜中、循顳顬動脈之前枝、及顏面靜脈之分枝、分布前額神經。

療法、針二分、灸三壯乃至七壯。

主治：腦充血、腦貧血、顏面充血水腫病、小兒搐搦、鼻茸等。

5、〇百　會

位置、前頂之後一寸五分、在頂之中央

旋毛之中。

解剖：在顱頂部帽狀腱膜中，循淺顳顬動脈及後頭動脈之各終枝，分布大後頭神經。

療法：針三分至五分，灸的越多，効力越大，十四至二十，五十至一百，針時須先把髮剃光，和湧泉配合用。

主治：頭痛、眩暈、中風、腦神經衰弱、腦貧血、癲癇、鼻茸、脫肛、痔疾。鎮靜之主要刺戟點，腦神經疾病，主要刺戟點，對一切神經症狀有鎮靜作用，特別對希斯特里很有效，百會前後有一寸半範圍可變換用。

6. ○後頂

位置：百會之後一寸五分。

解剖：在顱頂骨矢狀縫合之後端部，有帽狀腱膜，循後腦動脈，分布大後頭神經。

療法：針三分，灸五壯。

主治：腦充血、眩暈、神經性偏頭痛，頭頂部痙攣、癲癇。

7. 強間

位置：後頂之後一寸五分。

解剖：在矢狀縫合之後端，後頭骨與顱頂骨之間，即三角縫合部，帽狀腱膜中，循後頭動脈，分布大後頭神經。

療法：針二分，灸五壯。

主治：頭痛、眩暈、嘔吐、涎沫、歇斯的里。

8、〇腦戶（禁針）

位置：強間之後一寸五分，枕骨之上。

（案：枕骨，一名外後頭結節。）

解剖：在帽狀腱膜中，循後頭動脈，分布大後頭神經。

說明：禁針禁灸，療法、主治從畧。

按：是穴日本諸書列於禁針，而未嘗言及禁灸，但皆無療法主治。玉森氏經穴彙典獨言此為禁針禁灸穴，療法主治從畧，是當為禁針禁灸無疑。考諸甲乙經言：此別腦之會，不可灸，令人瘖。素問刺禁論云：刺頭中腦戶，入腦立死。獨王冰註云：灸五壯。又骨空論云：不可妄灸。銅人經云：禁不可灸，灸之令人瘂。其實腦為貴重之器，入腦立死之說確可深信，灸則立暈。所謂瘖者瘂者，殆亦經驗有得而言，宜列禁針禁灸穴，庶讀者不至冒險嘗試。

9、風府（禁灸）

位置：項之上，滿髮際一寸五分，在大筋之中。

註：入項之髮際一寸五分，故在後頭部。

解剖：在後頭骨後部，與第二頸椎之間陷凹部，僧帽筋間，循後頭動脈，分布大後頭神經，其深部有延髓。

療法：針一寸至一寸二分。

28

主治：頭痛、頸項神經痛、衄血、咽喉加答兒、精神病、中風、黃疸。腦的病變、腦一切神經症，腦出血的後遺症、起鎮静作用，感冒每常用。

10、○瘂　門（絕對禁灸，灸後會瘂）

位置：在風府下一寸二分，入髮際五分，仰頭取之。

解剖：在第一頸椎與第二頸椎之間，僧帽筋起始部，循後頭動脈之分枝，分布頸椎神經之後枝，其深部有延髓。

療法：針一寸至一寸二分。

主治：舌骨筋麻痺、舌下軟瘤（即重舌）咽喉炎、腦充血、腦膜炎、衄血、脊髓炎、言語失調、失語症，能對四歸經有影響。

（二）沿眼之內眥，自前頭髮際，離頭部正中線外側一寸，並行於正中線至項部綫，凡七穴。

11、○曲　差

位置：神庭之旁一寸，入髮際，眉冲上方，一寸，距正中綫一寸。

解剖：在前頭骨部，前頭筋，循鼻前頭動脈，分布前頭神經。

療法：針三分至五分。

主治：頭痛、顏面神經痛及麻痺、巔頂部之撤衝、心臟肥大、視力缺乏、鼻孔閉塞、衄血、鼻茸、鼻瘡。作用同神庭，但對鼻無影響，為眉冲神庭附助刺戟點。

29

12、五處

位置、曲差之後一寸、上星之旁一寸五分。

解剖：在前頭骨部、前頭筋中、循鼻前頭動脈、分布前頭神經。

療法：針三分、灸三壯乃至五壯。

主治：癲癇、頭痛、發熱、眩暈、視力缺乏、背脊神經痛。

13、〇承光（禁灸）

位置：五處之後一寸五分。

解剖：在前頭骨與顱頂骨之縫合部、有帽狀腱膜、循淺顳顬動脈、分布顏面神經之顳顬枝。

療法：針三分。

主治：頭痛、眩暈、鼻茸、鼻孔閉塞、角膜白

14、〇通天

位置、承光之後一寸五分。

解剖：在顱頂骨部、當顱頂結節之後內方、循顳顬動脈後枝、分布顏面神經之顳顬枝。

療法：針三分、灸三壯乃至五壯。

主治：鼻加答兒、鼻腔閉塞、衄血、鼻瘡、口部諸筋收縮、顱頂部痙攣、慢性氣管支炎、三叉神經痛。

15、絡卻（禁針）

位置：通天之後一寸五分。

解剖：在顱頂骨與後頭骨聯接處、即後頭筋停止部也、循後頭動脈、分布大

後頭神經。
療法、針三分、灸三壯乃至五壯。
按、是穴日本諸書、列入禁針、而療法乃言針三分、甲乙經未列禁針、亦言刺入三分。
主治、後頭筋及僧帽筋痙攣、綠內障、耳鳴、精神病。

16、玉枕

位置、枕骨結節同高旁開一寸。
解剖、在後頭骨部、有後頭筋、循後頭動脈、分布大後頭神經。
療法、針五分至八分、不能過偏正中、防傷後頭筋脈。
按、是穴日本諸書、列入禁針、而療法仍言針三分甲乙經不列禁針、亦言刺入三分。
主治、眼球神經痛、顏面神經痛、眩暈、頭痛、近視眼、嗅能減退、多汗症。作用後頭神經痛項部疾症、因有頸神經（一二至三）交通枝、故對項部炎症有效。

17、○天柱。

位置、頸大筋外廉、項旁風池同高、向外側開一寸。
解剖、在後頭骨之上、項緣之下、當僧帽筋停止部之外側、循後頭動脈、分布大後頭神經。
療法、針一寸至一寸五分、灸三壯、刺時

針的方向、為額斷略向前切。

主治：頭痛、頸後部痙攣、咽喉加答兒、鼻腔閉塞、嗅能減退、衄血、作用於風池同為其附助點。

(三) 沿眼之瞳孔，自前頭髮際離頭部正中線外側二寸，至項部線凡六穴。

18、〇臨　泣（禁灸）

位置：目瞳之上，入髮際五分。

解剖：在前骨頭部、前頭筋中、循上眼窩動脈、分布上眼窩神經、及顏面神經之顳顬枝。

療法：針三分、灸五壯乃至十壯。

按：原本列入針灸，而其他各書暨甲乙經、皆未列禁灸。

主治：角膜白翳、淚液過多、外眥充血、癲癇、蓄膿症、腦溢血、中風。

19、目　窗（禁灸）據書載灸後視力消失。

位置：陽白上方二寸處。

解剖：在顱頂部帽狀腱膜中、循淺顳顬動脈之分枝、分布上眼窩神經。

療法：針三分。

主治：眼球充血、眩暈、視力缺乏、顏面浮腫、頭痛、蓄膿症、惡寒發熱。

20、〇正　營

位置：目窗之後一寸。

解剖：在顱頂骨部、帽狀腱膜中、循後頭動脈之分枝、分布上眼窩神經。

32

療法、針三分、灸五壯。

主治、眩暈頭痛、齒痛。

21、○承靈（禁針）

位置、正營之後一寸五分。

解剖、在顱頂骨結節之後方、有帽狀腱膜、循淺顳顬動脈之分枝、分布大後頭神經。

療法、針三分、灸五壯。

按、是穴日本諸書列入禁針、而療法仍言針三分、甲乙經未列禁針、亦言刺入三分。

主治、衄血喘息、頭痛、發熱、惡寒。

22、○腦空

位置、承靈之後一寸五分。

解剖：在後頭結節之外側、後頭筋部、循後頭動脈、分布大後頭神經。

療法、針三分、灸五壯。

主治：肺結核、僧帽筋痙攣、頸項部痙攣、心悸亢進。

23、○風池

位置、在髮際下五分、或平髮際、瘂門兩側邊開一寸處。

解剖：在後頭骨下緣、當耳後乳嘴突起尖端、與項部正中之中間、僧帽筋與胸鎖乳嘴筋之間之夾板筋中、循後頭動靜脈、分布小後頭神經、及頸椎神經之後枝。

療法：針一寸至一寸五分、灸三壯至五壯。

主治：間歇熱、頭痛、眩暈、衄血、欠伸、淚液過多、眼球充血、視力缺乏、或頸項部諸筋痙攣、咽喉加答兒、半身不遂（中風）、腦神經衰弱、迷走神經痛、副神經麻痺、頸部疾症、為後頭神經痛主要刺戟點。

注意：針時取坐位、頭須低伏於墊上、防止發生休克、深度要够、否則達不到目的。

（四）額部凡二穴。

24. ○攢竹

位置：在眉毛中間截痕內（眼眶上內動脈）

解剖：在前頭骨之下際、眉弓之內端部有皺眉筋、循鼻前頭動脈、分布前頭神經、上眼窩神經。

療法：針三分至五分。

主治：角膜白翳、夜盲、視力缺乏、淚液過多、眩暈、前額神經痛、作用眼的疾患神經性眼瞼下垂。

25. ○陽白

位置：眉弓正中上方五分、病人前視、以瞳孔為中心。

解剖：在前頭骨部、前頭筋中、循上眼窩動脈、分布上眼窩神經。

療法：針三分至五分。

主治：眼球疼痛、夜盲、三叉神經痛、顏面麻痺及痙攣、作用外眼的毛病、主要為神經性眼瞼下垂、前額神經痛。

34 (五)顳顬部凡六穴。

26.○ 絲竹空（禁灸）

位置：眉後之陷中，眉毛外側截痕陷（距上外切跡）

解剖：在前頭骨眉弓突起部，前頭筋起始部，循淺顳顬動脈，分布顏面神經之顳顬枝。

療法：針八分至一寸深。

主治：眼球充血，角膜白翳，頭痛，眩暈，倒毛內刺，顏面神經麻痺，小兒搐搦，術、用同攢竹。

27、本神

位置：目外眥之上髮際，絲竹孔前上方，太陽上方。

解剖：在前頭部，有前頭筋，循顳顬動脈之前枝，及上眼窩動脈，分布三叉神經之分枝。

療法：針三分至五分。

主治：癲癇，腦充血，眩暈，頸項部痙攣，是太陽附助刺激點。

28.○ 頭維（禁灸）

位置：本神之旁一寸五分，額角之髮際。

解剖：在前頭骨與顱頂骨縫合部，有前頭筋，循顳顬動脈之前枝，分布顏面神經之顳顬枝。

療法：針三分。

主治：腦充血，前額神經痛，膿漏性結膜炎（風眼）視力缺乏，淚液過多，顏面神經麻痺。

29、頷　厭

位置：額角之下、顳顬上廉。

解剖：在前頭骨與顱頂骨縫合部、顳顬筋中、循淺顳顬動脈、分布顏面神經之顳顬枝。

療法：針二分、灸三壯。

主治：頭痛、眩暈耳鳴、上肢關節炎、小兒搐搦。

30、懸　顱

位置：額角之下、顳顬之中。

解剖：在前頭骨顱頂骨之縫合部、顳顬筋中、循淺顳顬動脈、分布顏面神經之分枝。

療法：針二分灸三壯。

主治：腦神經痛、顏面充血偏頭痛、外眥攣痛、齒痛。

31、懸　釐

位置：額角之下顳顬之下廉。

解剖：在前頭骨與顱頂骨縫合下部顳顬筋中、循淺顳顬動脈、分布顏面神經之顳顬枝。

療法：針二分、灸三壯。

主治：腦神經痛、顏面充血、偏頭痛齒痛。

（六）自耳之上部、向後方、凡六穴。

32、〇率　谷

位置、耳上、入髮際一寸五分。

解剖：在顱頂骨下端、顳顬筋中、循耳後

36

動脈、分布顏面神經顳顬枝。

療法、針三分、灸三壯乃至五壯。

主治、顱頂部疼痛、後頭部及頸部痙攣。

33、天衝

位置、耳後、入髮際二寸。

解剖、在上耳翼根之後上部、顳顬筋之上際、即蝴蝶骨乳樣縫合之前際、有耳上筋、循耳後動脈、分布顏面神經之顳顬枝。

療法、針三分、灸三壯乃至五壯。

主治、癲癇、頭痛、齒齦炎、強直痙攣。

34、浮白

位置、耳後入髮際一寸。

解剖、在耳後、乳嘴突起根之上一寸、顳顬筋中、有耳上筋、循耳後動脈、分布顏面神經之顳顬枝。

療法、針三分、灸三壯乃至五壯。

主治、耳鳴、耳聾、齒痛、咳逆、呼吸困難、四肢麻痺、頸項部痙攣、扁桃腺炎。

35、○竅陰

位置、完骨之上、枕骨之下。（完骨為乳嘴突起、枕骨即着枕之所）

解剖、在乳嘴突起之後上部、即顳顬骨顱頂骨後頭骨三縫合部也、有耳後筋、循耳後動脈、分布耳後神經。

療法、針三分、灸三壯乃至七壯。

主治、腦膜炎、腦充血、三义神經痛、四肢痙攣、咳逆、耳鳴、耳聾、癰疽。

36、完骨

位置、耳後入髮際四分。

解剖、在乳嘴突起之下端、胸鎖乳嘴筋附着部之上際、循耳後動脈、分布耳後神經。

療法、針五分、灸三壯乃至七壯。

主治、顏面浮腫、口裂筋萎縮、言語不正、齒齦炎、中風。

37、天牖（禁灸）

位置、頸大筋之外、缺盆之上、大容之後之髮際。（頸大筋、胸鎖乳嘴筋也）

解剖、在顳顬骨乳嘴突起之後下部、胸鎖乳嘴筋停止部之後緣、循後頭動脈之分枝、分布小後頭神經及頸椎神經。

療法、針五分。

主治、頸項部痙攣、咽喉加答兒、耳鳴、耳聾、眼球充血、顏面浮腫。

（七）耳之周圍凡十穴。

38、○聽會

位置、耳前陷中、張口得之。

解剖、在下顎骨顆狀突起與顳顬骨之間、循耳前動脈及內顎動脈、分布顏面神經。

療法、針五分、灸五壯。

主治、耳道加答兒、耳鳴、耳聾、顏面神經麻痺、下顎脫臼。

39 聽宮

38

位置、耳前小尖瓣下角面之中央。

解剖、在咬筋附着部之後緣，循耳前動脈分佈顏面神經及三叉神經。

療法、針二分乃至三分灸三壯乃至五壯。

主治、耳鳴、耳聾、耳道加答兒、嘶嗄失聲。

40 耳門

位置、耳前小尖瓣之前，稍陷處。

解剖、在顳顬筋部，循顳顬動脈，分布淺顳顬神經。

療法、針三分灸三壯乃至七壯。

主治、耳鳴、耳聾、耳瘡、耳道加答兒、上齒痛、口吻強硬。

41 和髎

位置、耳之前上銳髮之後動脈應手陷中。

解剖、在顳顬骨下端與顴骨之關節部，耳前筋起始部，也循淺顳顬動脈，分布顏面神經之顳顬枝。

療法、針三分及至七分灸三壯乃至五壯。

主治、頭痛、顏面神經痙攣及麻痺、頸頷部組織炎、鼻加答兒、鼻茸。

42 曲鬢

位置、耳上之髮際。

解剖、在顳顬骨與顱頂骨之關節部顳顬筋中，循淺顳顬動脈，分布顏面神經之顳顬枝。

療法 針三分灸三壯乃至壯、

主治、由酒精中毒而來顱頂部頸部及顳顬部之神經痛及頷頰神經痛

43 角孫

位置、耳廓中間之上一横指。

解剖 在耳翼上角之上際顳顬筋中、循顳顬動脈耳前動脈分布淺顳顬神經。

療法、針三分。

主治、角膜白翳、齒齦炎唇吻強硬口內炎突目作用外耳中耳之疾患與翳風互用。

44、顱息

39 位置、耳翼之後上部青絡脈中。（青絡脈皮下靜脈也。）

解剖、顳顬骨部有顳顬筋、耳後筋循耳後動脈分布顳顬神經及耳後神經。

療法、灸三壯乃至七壯。

主治、耳鳴頭痛癲癇。

45 瘈脈

位置、耳後之鷄足青絡脈中孔突後方（髮際內緣稍上）

解剖、在顳顬骨部有顳顬筋、耳後筋循耳後動脈分布淺顳顬神經及耳後神經。

療法、針三分針方向與翳風同。

主治、頭痛耳鳴瞳孔不全症下痢小兒

40

搐搦、嘔吐中耳外耳之疾患與翳風互用

46. ○翳風

位置、耳後陷中按之通耳中在乳突後下方一橫指。

解剖、在耳下腺部之微上乳嘴突起與下顎枝之中間咬筋部陷凹中循顳顬動脈分布大耳神經淺顳顬神經之小枝當顏面神經之耳下腺叢。

療法、針一寸左右針由后上方入。

主治、耳鳴耳聾顏面神經麻痺頜頰炎笑筋萎縮作用外中耳的炎症項部肌肉炎症。

47 天容

位置、耳下曲頰之後在耳垂與下頸隅的中間

解剖、在胸鎖乳嘴筋部耳下腺存在處循後動脈內頸靜脈分布大耳神經及副神經。

療法、針五分不達骨膜。

主治、胸膜炎呼吸困難頸項部神經痛耳鳴耳聾舌下軟瘤(重舌)齒齦炎胸背神經痙攣作用瘿瘤頸項部發生腫物回顧不能耳下腺炎口腔炎其他與大迎同

第二節　顏面部參照第一圖

（一、沿顏面之正中、自鼻尖至下方線、凡五穴。

一、素髎（鼻髎）（禁灸）

位置　鼻柱之尖端、鼻尖之正端高處。

解剖　在鼻軟骨尖端部、鼻壓縮筋中、循外鼻動脈、分布外鼻神經及篩骨神經。

療法　針三分（案甲乙經刺入三分。）

主治　鼻茸、鼻瘡、夜淚過多、鼻孔閉塞、衄血。作用急性鼻炎、酒渣鼻狼瘡。

二、○水溝（人中）

41 位置　鼻下、陷中、（鼻中溝）

解剖　在鼻柱根與口唇之中央、口輪匝筋中、循上唇動脈、及外頸動脈之分枝、分部顏面神經之頰枝、及下眼窩神經。

療法　針三分至五分。

主治　糖尿病、水腫病、癲癇、腦充血、口眼諸筋收縮之痙攣。作用為全身及應之刺灸、可用於休克虛脫等、又為顏面神經第三枝麻痺及三人神經第三枝痛之刺激灸。

三、兌端

位置　上唇端之中央、

解剖　在口輪匝筋部、上唇之粘膜、人中之外皮、循外頸動脈之分枝及上唇冠状动脉、分布顔面神经之頬枝、及下眼窩神经。

療法：針二分、灸三壯。

主治：癲癇、尿黄色、舌乾、唇强。

四、齦交

位置：唇内、上齒齦縫之中。

解剖：在上唇裡面之粘液膜部、口輪匝筋中、循口冠状动脉、分布前上齒槽神经。

療法：針二分、灸三壯、

主治：鼻茸、鼻塞、頸項神经痛、涕液过多、内眥充血或搔癢、角膜白翳。

五、承漿

位置：頤之前、下唇之下中央陷中。（頤部正中）

解剖：在下顎骨頤結節之上部左右。方形頤筋之中間、循下唇動脉、及頤動脉、分布顔面神经之枝、别下顎皮下神经。

療法：針三分至五分。

主治：中風、顔面神经麻痹、顔面浮腫、糖尿病、齒神经痛、癲癇、作用、顔面神经第三枝麻痹、三叉神经第三枝痛。

（二）沿眼之内眥才向、至下才髎、丸三穴。

六、睛明（禁灸）

位置：目内眥部眼瞼縁内。

解剖：在眼輪匝筋中、有内眼瞼動彎、楯

内眥動脉、分布三叉神经第一枝之滑車上神经、

療法：針八分至一寸，注意刺到目的後，全眼酸流淚、勿用力过大因該部結缔組织疏鬆、防伤内眥動脉。

主治：角膜白翳、網膜炎、眼球充血、或搔痒症、青盲、小兒绪膜炎、作用、急性结膜炎、急性角膜炎、缘内障等眼疾有效，据書云虹膜与玻璃体病亦効、胬肉亦可用。

七、〇迎香（禁灸）

位置：睛明之下、鼻孔之旁、在鼻唇溝外侧与鼻翼间高处高鼻唇溝約五分。

43 解剖：在上頷骨犬齒窩之上方、鼻翼下掣筋中、循下眼窩动脉、分布颜面神经（及）三叉神经之枝别、下眼窩神经。

療法：針三分至五分，注意損伤内眥动脉分枝之唇动脉。

主治：急性鼻加達尔、鼻孔閉塞、嗅能減退、衄血、鼻茸、鼻疮、颜面神经麻痺、颜面组织炎、作用鼻鼻炎、前鼻道云血

八、禾髎（禁灸）

位置：鼻孔之下、水溝之旁、迎香下五分处。

解剖：在上頷骨犬齒窩部鼻翼下掣筋起始部方形上唇筋中，循下眼窩動脉、及颜面静脉、分布三叉神经之第二枝、下眼窩神经等。

44

療法：針三分至五分深。
（案原本灸三狀，玉森氏奥氏本既甲乙經皆列禁灸）
主治：急性鼻加達爾、鼻腔閉塞、嗅能減退、衄血、鼻茸、鼻瘡、咬筋痙攣、耳下腺炎。作用：迎香附助穴。
（三）沿眼之瞳孔方向至下方眶緣凡四穴。

九〇 承泣

位置：在眼眶下緣正中處，令病人前視以瞳孔為正中處。
解剖：在下眼窩之下緣，眼輪匝筋中，循下眼窩動脈，分布三叉神經並顏面神經之第二枝，即下眼窩神經。
療法：針五分至八分，針眼眶緣下去，作用為睛明瞳子髎之附助穴。
（按原本禁針，延命山氏、玉森氏本禁針灸，奥氏本甲乙經刺三分，不可灸，宜列禁針禁灸穴）。

十〇 四白

位置：瞳孔正直鼻尖於外眥引線之正中處（眶下孔處）
解剖：在下眼窩之直下，當上顎之上緣，方形上唇筋中，循下眼窩動脈，分布顏面神經及三叉神經，即下眼窩神經出下眼窩孔之邊相當之处。
療法：針五分至八分深。
（案奥氏本針三分灸七狀）

45

主治、眼球神经痛、瞳子搔痒、角膜白翳、头痛眩晕、蓄脓症、颜面神经痉挛、作用眼的疾病、上齿槽神经之疾病、第二枝三叉神经痛。

十一、〇巨髎

位置、鼻孔之旁、瞳孔正直、地仓直上一寸处。

解剖、在上颚与颧骨之中间、犬形上唇筋中、当齿龈部、循下眼窝动脉、分布颜面神经三叉神经之枝别。

针法、针三分。

主治、颜面神经痛第二枝麻痹、角膜炎、眼球青色、绿障眼(青盲)、近视、急性及慢性加答儿、蓄脓症、为地仓之附刺激点、齿神经痛、唇颊部之欤衡。

十二、〇地仓

位置、口吻之旁五分、(两侧口角外五分)

解剖、在口轮匝筋部、循外颚动脉之枝别、上下唇动脉、分布颜面神经。

针法、针三分。

主治、颜面神经痛第二枝麻痹、不能远视、由口眼关系之诸筋痉挛或收缩、盘言语不能

四、沿目外眦之方向、至下方缘、凡二穴。

十三、瞳子髎

位置、目外眦之旁、眼眶内缘。

46

解剖、在顳顬部前頭骨之顴骨突起、与顴骨之前頭突起関節部之後際、眼輪匝筋中、循顴骨眼窩动脉、分布顔面神经之顴骨枝及顳顬枝。

療法、針八分不可过深、勿伤神经、此穴还可影响毛様体神经、动眼神经。

主治、耳道加答尔、耳鳴、耳聾、顔面神经麻痺、下顎脱臼、作用与睛明同。

十四、○顴髎（禁灸）

位置、面頰骨之下方廉陷中（面頰骨顴骨結節也）、

解剖、在顴骨筋之起始部、有笑筋、循横顔面动脉、分布下眼窩神经、咬筋神经及顔面神经之頰枝。

療法、針一寸二分、針須直下、

主治、顔面神经麻痺或痉挛、上齒神经痛、作用、三叉神经第二枝与顔面神经第二枝痛及麻痺、上顎四齒列神经痛。

（五）自耳前当下顎隅、凡四穴。

一、○上関

位置、耳前起骨之上廉顴弓上方凹處、外眥引線之稍上方、約三横指（起骨顴骨弓也）、

解剖、在顳顬骨与顴骨及蝴蝶骨之三骨関節部、有顳顬筋、循内顎动脈、分布顔面神經顳顬枝。

療法、針五分深、

47

主治：偏頭痛、頭暈、耳鳴、耳聾、口眼喎斜、中風、綠障眼（青盲）、齒神经痛、口角諸筋痉挛、三义神经第一枝神经痛、颜面神经麻痺、

2.0 下关（禁灸）

位置：上关之直下方一寸五分、入骨下者、颧骨弓下部也。

解剖：在上颚骨髁上突起之前方、颧骨弓下端有颊颧筋及咀嚼筋、循横颜面動脉、分布颜面神经之颧骨枝及三义神经、

療法：針五分、

主治：下颚脱臼、面神经痛、颜面神经麻痺、欠伸、眩暈、耳鳴、耳聾、三义神经痛、

頰車附助灸、

3.0 大迎

位置：曲頰前、一寸二分、自頭至下颚隅的正中点（水平枝）骨体上。（曲頰、下頰隅也）

解剖：在第二大臼齒之下部、三角頤筋及咬筋存在处、當外颚動脉之通路分布颜面神经之下行枝及下颚神经、

療法：針五分、不達到骨膜、

主治：颜面痉挛、口噤不開、下齒神经痛、颈部神经痉挛、耳下腺炎、眼球痉挛作用、下颚神经痛、下齒槽神经痛、颜面神经第二枝、与三义神经第二枝、

之疾患。

4.○頰車

位置、下顎关節毬之前下才、(耳前动脉稍後)

解剖、在下顎骨隅角之前上才、咬筋存在循外顎动脉及咬筋动脉、分布顏面神经之分枝、下顎及下神經及咬筋神经。

療法、一寸至一寸二分深、注意防伤耳前动脉。

主治、顏面神经痛及麻痺、嘶嗄失声、頷頰炎、頸部諸筋神经痛、或收缩、回顧不能、半身或全身不遂、頷頰部咀嚼不能、作用三叉神经痛、面部炎症。

眉冲

位置、攢竹之上才一寸五分、

療法、針三分半、

作用、與陽白同。

印堂

位置、眉間正中央、

療法、針三分深、

作用、鼻及副鼻腔的炎症、鼻炎及上鼻竇炎、前額神经痛、為攢竹附助俞穴。

第三節 頸部

(一)當前頸部之正中凡二穴。

1.廉泉

位置、頷之下喉結之上、中央陷中、

解剖、在喉頭結節之上才舌骨之上部、

當左右胸骨舌骨筋停止部之中間、循上甲状腺動脉分布顔面神经之分枝上頸皮下神经、

療法、針三分、

主治、氣管枝加答尔、喘息、咽喉加答尔、嘔吐、舌下腫、舌根部諸筋痙縮、流涎口瘡、痄腮、同天突、是天突附助刺激灸。

2.〇天突

位置、結喉下二寸陷中、（胸頸窩）

解剖、在胸骨頸截痕上中央、當左右胸鎖乳嘴之中間、有胸骨舌骨筋、甲状舌骨筋、循上甲状腺動脉及下甲状腺静脉、分布下頸皮下神经、深部有氣管、

療法、針五分、不灸、

說明、刺針之際、不能過深、針由稍上方入、

主治、顔面充血、喘息、声筋痙攣、咽喉加答尔、扁桃腺炎、急性舌骨筋麻痺、言語不能、嘔吐、良性腫瘤、腸寄生虫、食道疾病。

二、前頸部胸鎖乳嘴筋之前後凡七穴。

3.〇人迎（禁灸）

位置、在結喉之旁一寸五分。

解剖、在胸乳嘴筋之前緣、深部有咽頭及喉頭、循外頸動脉、深部通内頸動

脉、分布舌下神经下行枝、及上頸皮下神经、當迷走神经经路之附近。

說明：禁針禁灸穴，療法主治從略、

（案是穴原書及王森氏本皆言禁針禁灸穴，與代本甲乙經載刺入四分不可灸，甲乙經更言刺入过深、不幸殺人。）

4、水 突

位置：頸大筋之上，人迎之下，氣舍之上。

（大筋、胸鎖乳嘴筋也。）

解剖：在甲状軟骨下缘之外方，胸鎖乳嘴筋之前缘，循外頸動脈深部，涵内頸动脉，分布舌下神经下行枝及上頸皮下神经，當迷走神经经路之附近。

療法：針三分，灸三壮。

主治：扁桃腺炎、氣管枝炎、喘息、咽喉炎、百日咳。

5、氣 舍

位置：人迎之下，天突之旁，陷中。

解剖：喉頭环状軟骨正中之两旁一寸五分，胸鎖乳嘴筋之两頭間，即鎖骨突起之两頭間，循深部總頸动脉分布下頸皮下神经及副神经

療法：針三分，灸三壮。

主治：扁桃腺炎、氣管枝炎、喘息、咽喉炎、百日咳。

6. 扶 突

位置、人迎之後一寸五分，胸鎖乳突肌内缘之正中央（下颚隅下）

解剖：在甲状軟骨之外後部，胸鎖乳嘴筋之中，循横頸动脉，分布下頸皮下神経，大耳神経及迷走神経之経路。

療法、針五分，不灸，針時头略对側斜，手指压頸动脉搏，針由前上方斜向后下方，不可太深，防伤頸部血管而神経，易伤血管，可以用。

主治、咳嗽、氣喘、唾液分泌过多、急性舌骨諸筋麻痹、側頸肌肉炎、淋巴炎（口腔炎最有效）其他效力不确。

7、〇天鼎

57

位置、扶突之下，与氣舍相隔一筋。

解剖、在胸鎖乳嘴筋後缘，濶頸筋中，循横頸动脉及外頸靜脉，分布下頸皮下神経，并鎖骨上神経，筋下有迷走神経幹，下行胸腔内。

療法、針四分，灸三状乃至七状。

主治、扁桃腺炎、咽喉炎、舌骨筋麻痹。

8. 天窗

位置：天容之下，扶突之後。

解剖：在胸鎖乳嘴之前方，循外頸动脉及内頸动脉，分布鎖骨上神経及下頸皮下神経。

療法、針三分，灸三状。

主治：半身不遂（中風）、頰頷炎、頸部及肩胛部疼痛、耳鳴、耳聾。

52

9.0 缺盆（禾交）

位置：氣舍之後横骨之上陷中鎖骨上窩（最凹處）正中處。

解剖：在大胸筋及濶頸筋循鎖骨下動、靜脉分布下頸皮下神經及鎖骨上神經。

療法：一寸至一寸五分防伤鎖骨动脉、針時針由前上方向後下方勿穿过肺尖（可轉上神经叢麻醉法相同）。

主治：喘息胸膜炎頸部及肩胛部諸筋欬动衝神經痛扁桃腺炎瘰癧作用上膊神經的一切疾病。

第四節 胸部（参照第二篇）

一、沿胸部正中線當胸骨部八六穴。

1. 璇璣

位置：天突之下一寸、胸骨柄身体交界處（凹陷中）

解剖：在胸骨体部當左右第大肋間之中央循内乳动脉分枝分布肋間神經。

療法：針五分灸三壯、

主治：胸膜痛及麻痺肺充血扁桃腺炎、喘息食道狭窄胃痙攣作用氣管枝炎喘息比麻黄素較力着針後可持續八小時以上。

2. 華蓋

位置：璇璣之下一寸。

解剖、在胸骨柄与胸骨体之界循内乳动脉分枝分布肋間神经之前穿行枝。

療法：針三分灸三状。

主治、喘息氣管枝加答児、胸膜炎、肺充血、扁桃腺炎、咽喉加答児、声門痙攣。

3. 紫宮

位置、華蓋之下一寸六分陥中（案古書一寸六分、原書以古今人身長不同、擬定一寸、今照古書尺寸改正。

解剖、在胸体部循内乳动脉分枝分布肋間神经前穿行枝。

療法、針三分灸五状、

主治、胸膜炎、食道狭窄、肺充血、肺結核、氣管枝加答児、胃出血。

4. 玉堂

位置、紫宮之下一寸六分（以古書）

解剖、在胸骨体部循内乳动脉分枝分布肋間神经前穿行枝。

療法、針三分灸五状。

主治、胸膜炎、喘息、嘔。

5. 〇膻中（禁針）

位置、玉堂之下一寸六分（依古書）

解剖、在胸骨体部循内乳动脉分枝分布肋間神经前穿行枝。

療法、灸三状

主治：胸膜神经痛、食道狭窄、食道癌、氣管枝炎、乳閉、小兒吐乳。

6. 膻中（依骨部長線另列一穴）。

位置：璇璣下四寸处。

療法：針三分至五分，灸七壯以上。

主治：有璇璣同，另據云有催乳作用。

7. 中庭

位置：膻中之下一寸六分。（依古書）

解剖：在胸骨体部當左右第六肋間之中央，循內乳動脉分枝，分布肋間神经。

療法：針三分，灸五壯。

主治：肺充血、喘息、扁桃腺炎、食道狭窄、呕吐、小兒吐乳。

二、離胸部正中線，外側二寸，當副骨緣，凡六穴。

1. 俞府

位置：巨骨之下，璇璣之旁二寸。（巨骨鎖骨也）

解剖：在大胸筋中，循鎖骨下動静脉及內乳動脉，分布前胸廓神经、鎖骨下神经及肋間神经。

療法：針三分，灸五壯。

主治：肺充血、氣管枝炎、胸膜神经痛、肋膜炎、咳逆、呕吐、流涎、食慾減退。

2. 或中

位置：俞府之下一寸六分（依古書），華蓋之旁二寸。

55

解剖、在第一第二肋骨間有大胸筋循肋間动脉内乳动脉分布肋間神経、及前胸廓神経内容肺脏。

療法、針三分灸五壮。

主治、肺充血氣管枝炎胸膜神経痛肋膜炎咳逆呕吐食慾減退

3.0神藏

位置、或中之下一寸六分(依古書、紫宮之旁二寸。

解剖、在第二第三肋骨間有大胸筋循肋間动脉内乳动脉分布肋間神経及前胸廓神経内容肺脏。

療法、針三分灸五壮。

主治、肺充血氣管枝炎胸膜神経痛肋膜炎咳逆呕吐、食慾減退、

4.0灵墟

位置、神藏之下一寸六分(依古書)玉堂之旁二寸

解剖、在第三第四肋骨間有大胸筋循肋間动脉内乳动脉分布肋間神経及前胸廓神経内容肺脏。

療法、針三分灸五壮。

主治、胸肋神経痛肋膜炎氣管枝加答児鼻孔閉塞嗅能減退呕吐食慾減退直腹筋痙攣、

5.0神封

位置、灵墟之下一寸六分(依古書)膻中之旁二寸。

56

解剖：在第四第五肋骨間循肋間動脈內乳動脈分布肋間神經及前胸廓神經內容肺臟。

療法：針三分灸五壯。

主治：胸肋神經痛肋膜炎氣管枝加答兒鼻孔閉塞嗅能減退嘔吐食慾減退直腹筋痙攣。

6.0 步廊

位置：神封下一寸六分（依古書）中庭之旁二寸。

解剖：在第五第六肋骨間有大胸筋循肋間動脈內乳動脈分布肋間神經及前胸廓神經內容肺臟。

療法：針三分灸五壯。

主治：胸肋神經痛肋膜炎氣管枝加答兒鼻孔閉塞嗅能減退嘔吐食慾減退直腹筋痙攣。

（三）膺胸部副胸骨線之外側二寸當乳線部凡六穴。

1.0 氣戶

位置：巨骨之下俞府之旁二寸。

（巨骨者鎖骨也之）

解剖：在第一肋鈒骨附着有大胸筋小胸筋及肉分肋間筋循鎖骨下動脈、第一肋間動脈分布前胸廓神經及鎖骨下神經內容肺臟。

療法：針三分灸五壯。

主治：肋膜炎慢性氣管枝炎橫隔膜痙

57

挛、百日咳、哮喘、逆呼吸困难、胸背部痉挛。

2〇库房

位置：气户之下一寸六分（依古书）或中之旁二寸，璇玑下一寸外开三寸二分，相当于乳腺上第二与第三肋骨之间。

解剖：在第二肋骨与第三肋骨之间，有大胸筋、小胸筋及内外肋间筋，循肋间动脉，分布前胸廓神经及肋间神经，内容肺脏。

疗法：针三分至五分、灸三壮。

主治：肺充血、气管枝炎、肋膜炎、呼吸困难，作用对乳腺炎有效，肋间神经痛、气管炎的附助刺激点。

3〇屋翳

位置：库房之下一寸六分（依古书）神藏之旁二寸。

解剖：在第二肋骨与第三肋骨间、有大胸筋、小胸筋及内外肋间筋，循前肋间动脉，分布前胸廓神经及肋间神经，内容肺脏。

疗法：针三分，灸五壮。

主治：咳嗽、吐血、胸膜炎、全身浮肿、全身麻痹。

4〇膺窗

位置：屋翳之下一寸六分（依古书）灵墟之旁二寸。

58解剖：在第三肋骨与第四肋骨之間有大胸筋、小胸筋、内外肋間筋、循前肋間动脉、分布前胸神经及肋間神经内容肺脏。

療法：針三分灸五壮。

主治：肺充血、肺实質肥大、肋膜炎、腸雷鳴、泄瀉、乳癰。

5. 乳　中（禁灸）

位置：當乳头之正中

解剖：在第四肋骨与第五肋骨間、有大胸筋、小胸筋及内外肋間筋、循前肋間动脉、分布前胸廓神经、及肋間神经、内容肺脏。

説明：禁針禁灸、療法從略。

（按：原書禁灸、延命山及玉森氏本禁針灸、奥氏本禁針、甲乙经不記部位、但言不可刺灸、刺之不幸生蝕疮、疮中有脓血清汁者可治、疮中有息肉、若蝕疮者死、資生经、十四经發揮記當乳裏。）

6. ○乳　根

位置：乳中之下一寸六分（依古書、步廓之旁二寸。）

解剖：在第五与第六肋骨間、循前肋間动脉、分部前胸廓神经及肋間神经。

注意：此処為心尖搏动処、須注意手術未熟練者、不宜施術、

療法：針三分、灸三壮乃至五壮。

59

主治：乳腺炎、咳嗽、肋膜炎、肋間神経痛及麻痺、手臂神経痙挛等。

四、局部：胸部乳腺之外側二寸，前腋窩缘部，凡六穴。

1.雲門

位置：巨骨之下，气户之旁二寸。

解剖：在鎖骨外端之下，际大胸筋之上上部，通过頭靜脉、胸肩峯动脉，分布側胸廓神経、肋間神経及鎖骨下神経等。

療法：針三分，灸五壮。

主治：咳逆、肩背神経痛、肋背痙挛、心脏病等。

2.○中府

位置：雲門之下一寸，库房之旁二寸。

解剖：在前肋壁之外上端，大胸筋之上部，即第一肋間，通腋窩动脉，分布肋間神経及側胸廓神経等。

療法：針六分，灸五壮。

主治：喘息、气管枝炎、颜面及四肢浮肿。

3.周营

位置：中府之下一寸六分，屋翳之旁二寸。

解剖：在第二肋骨与第三肋骨間，有大胸筋、前大鋸筋、内外肋間筋，循長胸动脉，分布前胸廓神経及肋間神経之側穿行枝。

療法：針三分，灸五壮。

60

主治、肺充血背部痉挛食道狭窄吃逆。

4、胸鄉

位置、周營之下一寸六分、膺窗之旁二寸。

解剖、在第三肋骨与第四肋骨間。有前大鋸筋大胸筋内外肋間筋、循長胸動脉分布前胸廓神经及肋間神经之側穿行枝。

療法、針三分灸五壮。

主治、肺充血胸脊痉挛咽下困难唾液过多、吃逆等。

5、天谿

位置、胸鄉之下一寸六分、乳中之旁二寸。

解剖、在第五肋骨与第六肋骨間。有内外肋間筋及大胸筋循長胸动脉分布側胸廓神经及肋間神经之側穿行枝。

療法、針三分灸五壮。

主治、肺充血加答儿性肺炎氣管枝加答儿肋間神经痛。

6、食竇

位置、天谿之下一寸六分乳根之旁二寸。

解剖、在第五与第六肋骨間、有内外肋間筋及大胸筋、循長胸动脉分布側胸廓神经及肋間神经之側穿行枝。

療法、針三分灸五壮。

61

主治：肺充血、加答児性肺炎、肋間神经痛。

五、胸部之外側，凡二穴。

1. 天池

位置：乳後一寸腋下三寸。

解剖：在第四肋間有大胸筋及前大鋸筋循長胸动脉分布側胸廓神经及肋間神经。

療法：針三分灸三壮乃至五壮。

主治：心脏外膜炎脳充血腋下腺炎。

2. 輙筋

位置：腋下三寸渊腋之前一寸。

解剖：在第四肋骨間有前大鋸筋、及肋間筋循肋間动脉分布肋間神经之側穿行枝内容肺脏。

療法：針五分灸五壮。

主治：呕吐、吞酸神经衰弱、唾液过多。言語不正、下腹部炊衝四肢痉挛。

第五節 腹部（參照第二圖）

（一）沿腹部正中線、自胸骨劍狀突起至恥骨縫際、凡十五穴。

1、○ 鳩尾

位置：在蔽骨之下五分、巨闕上一寸。（蔽骨者、胸骨劍狀突起也）

解剖：在上腹部之上方、白條線起始部、循上腹壁動靜脈、分布肋間神經之前穿行枝。

療法：針三分乃至五分、灸三壯、中醫記載禁針灸、但我們也盡量少用、針時兩臂上舉、使橫隔膜上昇、否則易傷橫隔膜、針取垂直下、切勿太深。

主治：心臟炎、急性胃加答兒、臆神經衰弱、精神病、喘息、咽喉炎、肺氣腫、作用急救用一時性窒息如休克。

2、○ 巨闕

位置：鳩尾之下一寸、臍上六寸。

解剖：在上腹部白條綫中、循上腹壁動脈、分布肋間神經前穿行枝。

療法：針八分至一寸、灸七壯。

主治：心臟外膜炎、氣管枝加答兒、橫隔膜痙攣、胃痙攣、直腹筋痙攣、吐瀉、嘔吐、食慾減退、腹部膨脹、咳嗽、胃癌。

3、○ 上脘

位置：巨闕之下一寸、臍上五寸。

解剖：在上腹部白條綫中、循上腹壁動脈、分布肋間神經前穿行枝、當胃之

63

胃門。

療法、針一寸五分至二寸、灸七壯乃至十四壯。

主治、慢性胃加答兒、慢性腸加答兒、腹膜炎、腸疝痛、氣管枝加答兒、腸間膜炎、心悸亢進、小兒癲癇。作用為中脘之附助刺激點。

4、○中脘

位置、上脘之下一寸、臍上四寸。

解剖、在上腹部白條綫中、循上腹壁動脈、分布肋間神經前穿行枝、内通腹膜、容胃。

療法、針一寸五分至二寸、灸七壯乃至十四壯。

主治、慢性胃加答兒、胃擴張、胃痙攣、胃出血、腸神經痛、胃癌、腹膜炎、腎臟炎食慾不進、消化不良、泄瀉、寄生蟲。作用主要對胃有影响大對腸作用小

5、○建里

位置、中脘下一寸、臍上三寸。

解剖、在上腹部白條綫中、循上腹壁動脈、分布肋間神經前穿行枝、内容胃臟。

療法、針一寸二分至一寸五分、灸五壯乃至七壯。

主治、水腫病、嘔吐、消化不良、下腹部痙攣。作用為下脘附助刺激點。

6. ○下脘

位置、建里之下一寸，臍上二寸，水分上一寸。

解剖、在上腹部白條綫中、循上腹壁動脈、分布肋間神經前穿行枝、内容胃臟。

療法：針一寸二分至一寸五分，灸七壯。

主治：胃擴張、胃痙攣、消化不良、慢性胃加答兒、腸加答兒、嘔吐、尿血。作用：對胃有影响，如胃腸炎、消化不良等。

7、水分

位置、下脘之下一寸，臍上一寸。（亦有說二寸的。）

解剖、在上腹部白條綫中、循上腹壁動脈、分布肋間神經前穿行枝、内容橫行結腸。

療法、針八分至一寸、灸七壯。中醫說只能灸不能針，針后要失水，但亦解剖知証分析，針不能太深，亦防傷及腸系膜、動脈而起大失血現象以致死亡。

主治：水腫病、腹部鼓脹、腹神經痙攣、局發痙攣、腸雷鳴、慢性腸加答兒、胃弱、食慾減退、腰背痙攣、小兒顖陷。作用：對胃有應响、中醫說可以瀉水、可用與在任何原因發生之腹水的對症治療。

8、神闕

位置、臍中。

解剖：腹部中央循上腹壁動脈、分布肋間神經前穿行枝、深部容小腸。

療法：撒布食盐其上灸三壯乃至二十五壯、禁針（容易傳染）

主治：腦溢血慢性腸加答兒、下痢、水腫病腹部鼓脹腸雷鳴婦人脫肛急性諸病作用胃腸神經痛。

9、陰交

位置：臍下一寸曲骨之上四寸。

解剖：在下腹部白條綫中、循下腹壁動脈、分布肋間神經前穿行枝。

療法：針八分至一寸、灸七壯。

主治：精神病、陰汗濕癢、腰部膝部之痙攣、婦人尿道加答兒子宮内膜炎月經不順、産後血暈惡露不止、小兒顖陷。作用主要對腸子有影响、特别對小腸急性腸炎有特效。

10、氣海

位置：臍下一寸五分、陰交之下五分。

解剖：在下腹部白條綫中、循下腹壁動脈、分布肋間神經前穿行枝、深部容小腸。

療法：針一寸二分、灸七壯乃至五十壯。

主治：精神病、盲腸炎、腹部冷却、腸神經病、腸加答兒、腸出血、子宮出血、膀胱加答兒月經不順、小兒遺尿、膀胱括約筋麻痺。作用用在衰弱病人中醫説能恢復元氣。

11、石門

位置：臍下二寸、氣海之下五分。

解剖：在下腹部白條綫中，循下腹壁動脈，分布肋間神經前穿行枝，深部容小腸。

療法：針一寸至一寸二分，灸七壯，婦女禁用，用後不能姙娠。

主治：慢性腸加答兒、消化不良、子宮神經痙攣、水腫病、吐血、盲腸炎、腸間膜炎、小兒脾疳、淋疾。

12、◎關元

位置：臍下三寸、石門之下一寸。

解剖：循下腹壁動靜脈，分布第十二肋間神經前穿行枝，深部容小腸，在女子則容子宮底。

療法：針一寸乃至一寸五分或二寸，灸七壯乃至十四壯。

主治：消化不良、慢性腸加答兒、腸出血、下腹部痙攣、水腫病、腎臟炎、睪丸炎、慢性子宮病、攝護腺炎、蛋白尿、淋疾、尿閉。

（注意）孕婦禁針禁灸，凡孕婦臍部以下之腹部諸穴，皆不可針灸。

13、中極

位置：臍下四寸、關元之下一寸。

解剖：在恥骨軟骨接合上際之上部白條綫中，循下腹壁動脈，分布下腹神經，以上下腹部及上腹部，有腹膜，即下腹部通腹膜容小腸上腹部同亦通腹膜容胃。

療法：針一寸五分至二寸、灸五壯乃至七壯、(排尿後針)

主治：失精、水腫病、尿意頻數、膀胱括約筋麻痺、不姙症。作用與關元同為與關元附助刺點。

14、曲骨

位置：臍下五寸、中極之下一寸。

解剖：在恥骨軟骨接合上際白條綫中、左右直腹筋停止部之中間、循下腹壁動脈、外陰部動脈、分布腸骨下腹神經、及腸骨鼠蹊神經、以下臍部自臍之中心至曲骨五寸。

療法：針一寸五分至二寸、灸七壯。(排尿後針)

主治：內臟虛弱、失精、下腹痙攣、膀胱加答兒、淋疾、尿閉、子宮內膜炎、子宮潰瘍、子宮出血、產後惡露不止。作用為關元之附助刺激點。

15、會陰

位置：大便之前、小便之後、兩便之間。

解剖：在球海綿體筋之中央、循外痔動脈、內陰部動脈等、分布會陰神經。

療法：灸三壯乃至五壯。

主治：陰汗、陰門疼痛、尿閉、便秘、月經不通、慢性痔疾。(二)離腹正中線之外側五分、在第一側線凡十一穴。

16、○幽門

位置：巨闕之旁開一寸。

解剖：在上腹部直腹筋內緣、循上腹壁動脈、分布肋間神經前穿行枝。

療法：針八分至一寸、灸七壯。

主治：上腹部膨脹、呑酸、流涎、嘔吐、胸膜神經痙攣、眼球充血、氣管枝加答兒、妊娠嘔吐。作用為巨闕附助刺激點。

17、○通谷

位置：幽門之下一寸、上脘之旁開一寸。

解剖：在上腹部直腹筋內緣、循上腹壁動脈、分布肋間神經前穿行枝。

療法：針一寸五分至二寸、灸七壯乃至十四壯。

案：原本針七分乃至一寸、灸之壯數同、玉森氏本、針七分、灸之壯數亦同、奧氏本甲乙經刺五分、灸五壯。

主治：嘔吐、消化不良、胃擴張、慢性胃加答兒、急性舌骨筋麻痺、欠伸、笑筋萎縮、眼球充血。作用為上脘附助刺激點。

18、○陰都

位置：通谷之下一寸、中脘之旁開一寸。

解剖：在上腹部有直腹筋、橫腹筋、內外斜腹筋、循上腹壁動脈、分布肋間神經前穿行枝。

療法：針一寸五分至二寸、灸七壯乃至十四壯。

主治：肺氣腫、胸膜不全症、喘息、腸雷鳴、黄疸、眼球充血、角膜白翳。作用與中脘同。

19、○石關

位置：陰都之下一寸、建里之旁開一寸。

解剖：在直腹筋部、有横腹筋、內外斜腹筋、循上腹壁動脈、分布肋間神經前穿行枝。

療法：針一寸二分乃至一寸五分、灸七壯。

主治：胃痙攣、吃逆、唾液分泌過多、便秘、淋病、眼球充血。作用建里附助刺激點。

20、○商曲

位置：石關之下一寸、下脘之旁一寸。

解剖：在直腹筋部、有横腹筋、內外斜腹筋、循上腹壁動脈、分布肋間神經前穿行枝。

療法：針一寸二分至一寸五分、灸三壯。

主治：胃痙攣、腹膜神經痙攣、食慾減退、黄脈、眼球充血、角膜炎。作用與下脘用為其附助點。

21、○肓兪

位置：商曲之下二寸、平臍。

解剖：在臍之兩旁、直腹筋部、循下腹壁動脈、分布肋間神經前穿行枝。

療法：針一寸至一寸五分、灸七壯。

主治：胃痙攣、常習便秘、下痢、胃部冷却、腹膜神經痙攣、腹痛、主要對腸加答兒黃疸。

22. 中注

位置：盲俞之下一寸、陰交之旁開一寸。

解剖：在恥骨之上方、直腹筋部、循下腹壁動脈、分布腸骨鼠蹊神經。

療法：針七分乃至一寸、灸五壯乃至七壯。

主治：便秘、腸加答兒、眼球充血、角膜炎、月經不順、卵巢炎、卵巢腫脹、不姙症。作用為陰交附助點。

23. ○四滿

位置：中注之下一寸、石門之旁開一寸。

解剖：在恥骨之上方、直腹筋部、循下腹壁動脈、分布腸骨下腹神經。

療法：針一寸至一寸二分、灸五壯乃至七壯。

主治：腸加答兒、腸疝痛、角膜白翳、月經痛、子宮痙攣、月經不調、不姙症。作用為石門附助點。

24. 氣穴

位置：四滿之下一寸、關元之旁開一寸。

解剖：在恥骨之上方、直腹筋部、循下腹壁動脈、分布腸骨鼠蹊神經。

療法：針一寸五分至二寸、灸五壯乃至十壯、或十四壯。

主治：腎臟炎、腰背痙攣、膀胱麻痺、眼球充血、角膜炎、月經不調、作用為關元附助點。

25、○大赫

位置：氣穴之下一寸、中極之旁開一寸。

解剖：在恥骨之上部、直腹筋部、循下腹胃動脈、分布腸骨鼠蹊神經。

療法：針一寸五分至二寸、灸五壯乃至七壯。

主治：陰囊收縮、陰萎、陰莖痛、精液缺乏、遺精早漏、虛勞、眼球充血、角膜炎、慢性膣加答兒。作用中極同。

26、○橫骨

位置：大赫之下一寸、曲骨之旁開一寸。

解剖：在恥骨之上部、當直腹筋部、循下腹壁動脈、分布腸骨鼠蹊神經。

療法：針一寸五分至二寸、灸七壯。

案原書及玉森氏本不載灸壯、奥氏本甲乙經刺入一寸、灸五壯。

主治：淋疾、膀胱麻痺及痙攣、腸疝痛、遺精、眼球充血、角膜炎。作用為曲骨附助點。

(三)離腹部第一側線之外側、當第二側線凡十三穴。

27、○不容

位置：幽門之旁一寸五分、巨闕旁開二寸。

解剖：當第八肋軟骨之下緣、有外斜腹筋、直腹筋、循上腹壁動脈、分布肋間神經前穿行枝。

72 療法：針八分至一寸、灸三壯乃至七壯。

主治：肩腸部諸筋痙攣及收縮、喘息、咳嗽、嘔吐、胃癌、噎血、寄生蟲。作用為巨闕附助點。

28. ○承滿

位置：不容之下一寸、上脘旁開二寸。

解剖：當第八肋軟骨附着部之下部，有內外斜腹筋及直腹筋、循上腹壁動脈、分布肋間神經前穿行枝。

療法：針一寸五分至二寸、灸三壯乃至七壯或十四壯。

主治：咳嗽、噎血、咽下困難、食慾減退、腹部膨滿、或冷卻、下痢、腸雷鳴、腹膜炎、黃疸。作用為上脘附助點。

29. ○梁門

位置：承滿之下一寸、中脘旁開二寸。

解剖：在第八肋軟骨之下部，有外斜腹筋、及直腹筋、循上腹壁動脈、分布肋間神經側穿行枝、內容胃臟。

療法：針一寸五分至二寸、灸五壯乃至十四壯。

主治：急性胃加答兒、食慾減退、消化不良、腸加答兒、胃痙攣等。作用為中脘附助點。

30. ○關門

位置：梁門之下一寸、建里旁開二寸。

解剖：在第八肋軟骨下部，有外斜腹筋、及直腸筋、循上腹壁動脈、分布肋間神經前穿行枝、內部為橫行結腸。
療法：針一寸二分至一寸五分、灸五壯乃至七壯。
主治：胃痙攣、胃阿篤尼症、食慾減退、消化不良、腸加答兒、腸疝痛、大便秘結、遺尿、水腫病。作用為建里附助點。

31、〇 太乙

位置：關門之下一寸、下脘旁開二寸。
解剖：在小腸之上部、有外斜腹筋及直腹筋、循上腹壁動脈、分布肋間神經前穿行枝。
療法：針一寸二分至一寸五分、灸五壯乃至七壯。
主治：胃神經痛、舌肥大、心外膜肥大、癲狂病、腳氣。作用為下脘附助點。

32、滑肉門

位置：太乙之下一寸、水分旁開二寸。
解剖：在小腸部、有外斜腹筋及直腹筋、循上腹壁動脈、分布肋間神經前穿行枝。
療法：針一寸五分至二寸、灸五壯乃至七壯。
主治、癲癇、精神病、嘔吐、胃出血、胃痙攣、舌炎、舌下腺炎、舌腫瘍等。作用主要對結腸疾患、肋間神經痛。

33、〇 天樞

位置：滑肉門之下一寸、神闕旁開二寸、平臍。

解剖：上層有外斜腹筋、及直腹筋外緣、循下腹壁動脈、分布肋間神經、側穿行枝。

療法：針二寸至二寸五分、灸五壯乃至十四壯。

主治：慢性胃腸病、腸加答兒、下痢黏液、寄生蟲、水腫病、間歇熱、腎臟炎、子宮冷却症、子宮內膜炎、月經不順。作用為腸炎主要刺激點。

34. ○外陵

位置：天樞之下一寸、陰交旁開二寸。

解剖：在小腸部有內外斜腹筋及直腹筋、循下腹壁動脈、分布肋間神經前穿行枝、腸骨下腹神經。

療法：針二寸乃至二寸五分、灸五壯十四壯。

主治：直腹筋痙攣、下腹神經痛。作用為天樞附助點。

35. 大巨

位置：外陵之下一寸、石門旁開二寸。

解剖：上層有外斜腹筋、當直腹筋外緣、循下腹壁動脈、分布腸骨下腹神經、及腸腹鼠蹊神經。

療法：針二寸乃至二寸五分、灸五壯乃至十四壯。

主治：不眠症、四肢倦怠、尿閉。作用為天樞附助點。

36. ○水道

位置、大巨之下一寸，関元旁開二寸。
解剖、在小腸部，有内外斜腹筋及直腹筋、循下腹壁動脈，分布肋間神經前穿行枝，腸骨下腹神經。
療法、針一寸至一寸二分，灸五壯乃至七壯。
主治、主要對膀胱加答兒、尿閉、睾丸炎、脊髓炎、脫腸、子宮及膣口冷却、月經困難。

37、歸來

位置、水道之下一寸、中極旁開二寸。
解剖、內部容腸、與膀胱接近，循下腹壁動脈，分布腸骨下腹神經。
療法、針一寸至一寸二分灸五壯乃至七壯。
主治、睾丸炎、陰莖神經痛、子宮冷却症、卵巢炎、月經閉止、膣內炎、不姙症、膣神經痛、生殖器病。作用為中極附助點。

38、氣衝

位置、歸來之下一寸、曲骨旁開二寸。
解剖、在鼠蹊窩，普派爾篤氏韌帶之中央下部，即直腸筋停止部，循淺迴旋腸骨動脈及下腹壁動脈，分布腸骨下腹神經及腸骨鼠蹊神經。
療法、針一寸五分至二寸、灸七壯。
主治、睾丸炎、子宮冷却、不姙症、卵巢炎、月經閉止、陰莖痛、作用為曲骨附助熱。

39、急脈

位置：歸來之下一寸、陰莖之旁、陰毛之中。

解剖：在鼠蹊窩、普派爾篤氏韌帶之下部、即直腹筋停止部、循淺廻旋腸骨動脈、及下腹壁動脈、分布腸骨下腹神經、及腸骨鼠蹊神經。

說明：甲乙經及其他各書、不載此穴、原書僅載位置及解剖的部位、不載療法主治。

（四）離腹部第二側線之外側一寸五分、在第三側線凡七穴。

40、期門

位置、上脘之旁四寸、上直兩乳。（上直兩乳、左右乳綫部之一直線也）

解剖：在第九肋軟骨附着部之尖端、當第八肋間乳腺部、循上腹壁動脈、分布肋間神經側穿行枝。

療法：針四分、灸五壯乃至七壯。

主治：肋膜炎、腎臟炎、喘息、食後吐水泄瀉、腹膜炎。

41、日月

位置：期門之下五分、中脘旁開三寸。

解剖：在上腹部外斜腹筋中、循上腹壁動脈、及長胸動脈、分布長胸神經之末端。

療法：針八分至一寸、灸五壯乃至七壯。

主治：腎臟炎、歇斯的里、胃擴張。作用對横行結腸有影响。

42、○腹哀

位置、日月之下一寸五分。

解剖：在内外斜腹筋部、循上腹壁動脈、分布肋間神經側穿行枝、内部左容胃臟、右與肝臟下緣接近。

療法：針七分、炙五壯乃至十壯。

主治、胃痙攣、胃部冷却、消化不良、腸出血潰瘍、便血。

43、大横

位置、腹哀之下三寸、平臍。

解剖、在内外斜腹筋部、循淺腹壁動脈之分枝、分布腸骨下腹神經。

療法：針一寸、炙五壯乃至十五壯。

主治：流行性感冒、四肢痙攣、寄生蟲多汗症、慢性下痢。

44、○腹結

位置、大横之下一寸三分、神闕旁開三寸。

解剖：在内外斜腹筋部、循淺腹壁動脈之分枝、分布腸骨下腹神經、及腸骨鼠蹊神經之分枝、内容小腸。

療法：針一寸二分至一寸五分、炙五壯乃至七壯。

主治：咳嗽、腹膜炎、腸神經痛、腹中冷却、下痢、作用為上下行結腸、盲腸炎之對症治療、痢疾、便秘、腸痙攣等。

45、府舍

位置、腹結之下三寸（中極旁開三寸）

解剖、在恥骨軟骨接合部與腸骨前上棘中間稍上方、即衝門之上七分之所、在内外斜腹筋中、循淺腹壁動脈分枝、分佈腸骨下腹神經、右當盲腸部之下部、左當S字狀部之下部。

療法、針一寸至一寸二分、灸五壯乃至七壯。

主治、脾臟炎、鉛毒症、便秘、盲腸炎、作用對直腸肛門有影响、側腹壁之刺激點。主要作用、脾臟腫大如腹水但用之効力不如腹部及背部、且危險性大、脾臟有病變者常因刺傷而發生大出血、我們盡量避免使用。

46、○衝門

位置、在府舍之下七分。

解剖、在腸骨前上棘之内下方、即腸骨窩、當鼠蹊韌溝之中外端相近之所、内外斜腹筋之下部、有腸腰筋膜循下腹壁動脈之分枝、分布腸骨鼠蹊神經。

療法、針七分、灸五壯。

主治、上腹部厥冷、膨脹、胃痙攣、乳腺炎。

第六節　胸側部（參照第三圖）

（一）側胸部腋窩線凡二穴。

1、淵腋

位置、腋下三寸、平乳。

解剖：在側胸部第四肋間、前大鋸筋及肋間筋中、循肋間動脈、分布肋間神經側穿行枝、及側胸廓神經、內容肺臟。

療法、針四分。

主治、肋膜炎、肋間神經痛及經攣、惡寒、發熱。

2、大包

位置、淵腋之下三寸。

解剖、在側胸部第六肋骨與第七肋骨間、前大鋸筋中、循長胸動脈、分布肋間神經之側穿行枝、內容肺臟、但右側與肝臟接近。

79

療法、針三分、灸三壯、乃至七壯。

主治：肺內膜炎、喘息、肋膜炎、肋間神經痛等。

第七節：側腹部（參照第三圖）

（一）側腹部凡六穴。

1、⊙章門（別名脇髎）

位置、在第十一肋前端、大橫之旁。

解剖：在側腹部第十一肋軟骨前端、內外斜腹筋中、循橫隔膜動脈、分布肋間神經側穿行枝。

療法：針六分乃至八分、灸七壯乃至二十壯。

主治：腸雷鳴、消化不良、胸腸筋痙攣、腹膜炎、喘息、嘔吐、寄生蟲、腰椎神經痛、背脊神經痙攣、肋膜炎、黃疸。

80

2、京門

位置、章門之後一寸八分。

解剖、在側腹部第十二肋軟骨之前端、有外斜腹筋及濶背筋、循上腹壁動脈之分枝、分布長胸神經及肋間神經側穿行枝。

療法、針七分、灸七壯乃至二十壯。

主治、腎臟炎、腸神經痛、腸雷鳴、肩胛神經痛。

3、帶脈

位置、章門之下一寸八分、平臍。

解剖、在第十一肋軟骨之遊離端直下、及內外斜腹筋中、右為上行結腸部、左為下行結腸部、循上腹動脈、分布肋間神經側穿行枝。

療法、針八分、灸五壯乃至十五壯。

主治、月經不調、子宮痙攣、子宮內膜炎。

4、五樞

位置、章門之下四寸八分、帶脈之下三寸。

解剖、在腸骨前上棘之前上部、內外斜腹筋之下緣、循腸骨迴旋動脈、分布腸骨下腹神經。

療法、針七分、灸三壯、乃至十壯。

主治、肩胛部及背部腰部神經痛、睾丸炎、子宮神經痙攣、子宮內膜炎。

5、維道

位置、章門之下五寸三分。

解剖、在腸骨前上棘之前上部、內外斜腹筋中、循迴旋腸骨動脈分布長胸神經及肋間神經分枝。

療法、針八分、灸五壯乃至七壯。

主治、盲腸炎、嘔吐、食慾減退、水腫病。

81

第八節　背部（參照第四圖）

（二）沿背部正中線、自第一胸椎棘狀突起至第十二胸椎棘狀突起之線、凡九穴。

1.。大　椎

位置：第六與第七頸椎之間（胸頸神經交叉點所以作用大）

解剖：在第六頸椎與第七頸椎之間、棘間靱帶及僧帽筋起始部、循横頸動脈之分枝、分布副神經背椎神經。

療法：針一寸二分至一寸五分。注意發生休克取臥位頭勢好。

主治：間歇熱、肺氣腫、衂血、嘔吐、黃疸、歇斯的里、頭項部痙攣、齒齦炎作用為極重要之刺激點、全身作用極大、各種神經症狀為鎮靜、瘧疾和其他熱性病、據書載一切血液寄生蟲病迴歸熱有効。

2、陶　道

位置：第七頸與第一胸椎之間。

解剖：在第七頸椎第一胸椎之間、僧帽筋之起始部、循横頸動脈之分枝分布副神經及背椎神經。

療法：針一寸深灸三壯。

主治：頸項部及肩胛部諸筋痙攣、間歇熱等、作用與大椎同、為大椎付助刺激點。

3、。身　柱

位置：第二胸椎與第三胸椎棘突之間。

解剖：在第二第三胸椎之間，僧帽筋起始部、循横頸動脈下行技及肋間動脈之背枝、分布胸椎神經之後枝。

療法：針五分至八分、灸三壯至五壯。

主治：喘息、癲癇、小兒搐搦、腦神經衰弱、氣管技炎、衄血等。作用上頭部與項部炎症、肩胛部份的神經痛、背部炎症對腸胃有影响、能促進其蠕動、腸胃弛緩用之。

4、神道

位置：第四胸椎與第五胸椎棘突之間。

解剖：在第四第五胸椎之間，僧帽筋起始部、循胸背動脈分布肩胛下神經。

療法：針五分至八分、灸三壯。

主治：心臟諸病、頭痛、腦神經衰弱、頰頷炎、頰車脫臼、小兒搐搦、作用與陶道同也是身柱付刺激點。

5、靈臺

位置：在第五與第六胸椎之棘突間。

解剖：在第五第六胸椎間、菱形筋起始部、循後肋間動脈分枝、分布背椎神經後枝。

療法：針八分至一寸、灸三壯至五壯。作用背部肌肉炎作用不很大。

6、至陽

位置：第七椎之下、陷中。

解剖：在第七第八胸椎之間，有薦骨脊

柱筋、循後肋間動脈分枝、分布背椎神經後枝。

療法：針五分、灸七壯。

主治：腰背神經痛、胃部厥冷症、黄疸、食慾減退、腸雷鳴。

7. 筋縮

位置：第九椎之下。

解剖：在第九第十胸椎之間、僧帽筋起始部、循後肋間動脈、分布背椎神經後枝。

療法：針四分、灸三壯。

主治：癲癇、背脊神經痛、轉目上視。

8. 中樞

位置：第十椎之下、陷中。

解剖：在第十及第十一胸椎之間、當腰背筋膜之起始部、循後肋間動脈分布背椎神經後枝。

案原書不載療法主治、其他各書、不載此穴。

9. 脊中

位置：第八胸椎與第九胸椎棘突之間。

解剖：在第八胸椎棘突起之下及第九胸椎之間、當腰背筋膜之起始部、循後肋間動脈分布背椎神經後枝。

療法：針一寸二分至一寸五分、灸七壯。

主治：癲癇、黄疸、腹部膨脹、食慾減退、腸出血、小兒脫肛、痔疾、作用橫膈膜神經痙攣、背部中段肋間神經痛有効。

神經性便秘可用此穴促進腸蠕動。

(三)雜背部正中線之外側一寸五分、在第一側線、凡十穴。

10。大杼

位置：第一椎之下、陶道之旁開一寸五分。

解剖：在第一胸椎棘上突起之兩旁、上層為僧帽筋、下層為菱形筋、及後上鋸筋、循横頸動脈下行枝、分布脊椎神經之後枝、及胸廓神經、肋間神經、與僧帽筋副神經。

療法：針八分至一寸、灸七壯、不可過深防傷肺尖(針稍斜下)

主治：氣管支加荅兒、頭痛、眩暈、胸膜炎、癲癇、項筋收縮、腰背筋痙攣、膝關節炎。作用上呼吸道疾 氣管枝炎、喉頭炎、有効、頭部炎症、治咳嗽効力大急性氣管枝炎一次、水泡音消失、後兩次即癒。

11、風門

位置：第一與第二胸椎間旁開一寸五分大杼下一寸處。

解剖：在第一及第二胸椎横突起間之外側、有菱形筋、及後上鋸筋、循肩胛背動脈、分布脊椎神經之後枝。

療法：針一寸至一寸五分、灸五壯、乃至十四壯。

主治：胸膜炎、巔頂部及頸項部痙攣、氣

管枝炎、百日咳、嗜眠、嘔吐、胸背部諸筋痙攣、癱瘓作用同大杼為大杼的附助點。

12、肺俞

位置：第二與第三胸椎棘突之間、身柱之旁開一寸五分、風門之下一寸。

解剖：在第二及第三胸椎横突起間之外側、當僧帽筋及菱形筋與後上鋸筋中、循上肋間動脈及横頸動脈下行枝、分布副神經、及後胸廓神經與背椎神經後枝、肋間神經等。

療法：針八分至一寸、灸七壯以上、注意防傷肋膜、最好取腹卧位刺破肋膜空氣竄入壓迫肺臟、致萎縮而死。

主治：肺結核、肺炎、肺夫出血、氣管枝炎心内外膜炎、心臟麻痺、黄疸、贅瘤、胃膜炎、皮膚瘙癢、口内炎、食後吐水、嘔吐、腰背神經痛、小兒佝僂病、龜背等。作用上胸部肋間神經痛病的範圍很小、退熱有効。

13、厥陰俞

位置：第四椎之下、相去一寸五分。

解剖：在第四及第五胸椎横突起間之外側有僧帽筋、菱形筋、後上鋸筋、厲骨脊中筋循肩胛背動脈、分布背椎神經之後枝。

療法：針三分、灸七壯。

主治：心臟肥大、心外膜炎、贅瘤、欬逆、嘔

86

吐、齒神經痛。

14。心俞（禁灸）

位置：第四與第五胸椎之間旁開一寸五分，神道之旁。

解剖：在第五及第六胸椎横突起間之外側，有僧帽筋、菱形筋、薦骨脊中筋、循後肋間動脈之背枝及横頸動脈之下行枝，分布背椎神經後枝及肋間神經。

療法：針五分至八分，灸五壯至七壯，勿震動過大。

主治：心内膜炎、胃出血、嘔吐、癲癇、瘖症、食道狭窄、癰疽。作用心臓病，變心肌炎、心嚢炎、中部肋間神經痛、神經性速脈，部時見効，狭心症。

15。膈俞

位置：第六與第七椎之間，旁開一寸五分。

解剖：在第六及第七胸椎横突起間之外側，有僧帽筋與薦骨脊柱筋、循後肋間動脈，分布背椎神經之後枝。

療法：針一寸二分，灸七壯。

主治：心臓内外膜炎、心臓肥大、心臓麻痺、胸膜炎、喘息、氣管枝炎、胃加答兒、胃癌、嘔吐、食道狭窄、食慾減退、腸加答兒、腸出血、胃膜炎、惡疽、四肢倦怠、自汗、盗汗等。作用下胸部肋間神經痛、横隔膜痙攣、肺下葉的炎症。如大葉性肺炎亦為瘧疾刺激點。

16.○肝俞

位置：在第七與第八胸椎旁開一寸五分處。

解剖：在第七及第八胸椎横突起間之外側，有僧帽筋、背長筋、闊背筋、肋骨舉筋、腸骨脊柱筋、備後肋間動脈分布，背椎神經之後枝，右方深部容肝臟。

療法：針一寸二分至一寸五分，灸七壯，不可過深，書載過深五天可死人。

主治：黄疸熱病後眩暈，淚液過多，歇斯的里，慢性胃加答兒，胃擴張，胃痙攣，胃出血，氣管枝炎，肋間神經痛，胸骨部痙攣，腸出血，十二指腸蟲作用，主要對眼有影响，如夜盲，角膜炎，結膜炎，下胸部肋間神經痛。

17.膽俞

位置：第十椎之下相去一寸五分，中樞之旁。

解剖：在第十及第十一胸椎横突起間之外側，上層有僧帽筋，下層有闊背筋，備後肋間動脈之背枝分布，副神經及背椎神經後枝與肋間神經。

療法：針三分，灸三壯乃至十五壯。

主治：發熱惡寒，頭痛，胆囊疾病，黄疸，嘔吐，食道狹窄，咽喉加答兒，腋下腺炎，肋膜炎。

18、脾俞

位置：第十一椎之下、相去一寸五分、脊中之旁。

解剖：在第十一及第十二胸椎横突起間之外側、有僧帽筋、及薦骨脊柱筋、循後肋間動脈、分布背椎神經之後枝。

療法：針七分、灸七壯乃至二十壯。

主治：胃痙攣、胃弱、胃出血、腸加答兒、嘔吐、胆汁下痢、黄疸、喘息、食道狭窄、水腫病。

19、胃俞

位置：第十與十一胸椎棘突之間、旁開一寸五分

解剖：在第十胸椎及第十一胸椎横突起端之中間、上層有闊背筋、下層有薦骨脊柱筋、循後肋間動脈之背枝、分布背椎神經之後枝及肋間神經、内容腎臟。

療法：針一寸二分至一寸五分、灸七壯。

主治：胃癌、胃加答兒、胃痙攣、胃擴張、消化不良、腸加答兒、嘔吐、腹部膨脹、腸雷鳴、肝臟肥大、視力缺乏、小兒夜盲、吐乳、青便、羸瘦、慈瘨、十二指腸蟲。作用一切胃腸疾患有効、主要為分布胃部脊髓神經、胆俞、脾俞、為胃俞的附助刺激點、刺内臟神經節的分枝而生効

89

(三)離背部第一側線之外側一寸五分在第二側線凡十穴。

20.○附分

位置：風門之下、肺俞平高旁開一寸五分。

解剖：在第二胸椎棘狀突起下方兩旁三寸第二肋骨之上緣、上層有僧帽筋、下層有菱形筋、循橫頸動脈及上肋間動脈、分布脊椎神經、及肋間神經與後胸廓神經、副神經等。

療法：針八分至一寸灸三壯至五壯。

主治：肩背神經痛及痙攣、頸部痙攣、回顧不能、作用為肺俞附助刺激點。

21.魄戶

位置：第三椎之下、相去三寸、肺俞之旁。

解剖：在第三及第四胸椎橫突起間之外方、有僧帽筋、菱形筋、循橫頸動脈、分布背椎神經後枝。

療法：針五分、灸七壯乃至十五壯。

主治：肺萎縮、氣管枝炎、喘息、嘔吐、上膊部及肩背部之神經痙攣。

22.膏肓

位置：第四椎之下相去三寸、厥陰俞之旁、附分垂直線下二寸、(正中線旁開三寸)。

解剖：在第四及第五胸椎橫突起間之外方、有僧帽筋、及菱形筋、循橫頸動脈下行枝、分布背椎神經後枝。

90

療法：針一寸至一寸二分、灸七壯。

主治：肺結核、氣管枝加答兒、胃出血、神經衰弱、夢遺、失精、健忘、嘔吐、作用全身衰弱的患者，能使身力恢復，是否有確効而未証明，肺結核的胸痛、咳嗽吐血皆可用之，對肋間神經痛有著効。

23、神堂

位置：心俞之旁開一寸五分。

解剖：在第五及第六胸椎横突起間之外方，有僧帽筋、及菱形筋、循横頸動脈下行枝，分布肩胛背神經及肋間神經。

療法：針八分、灸五壯至七壯。

主治：心臟病、氣管枝炎、喘息、背長筋痙攣、肩膊疼痛，作用同心俞，是心俞附助刺點。

24、譩譆

位置：第六椎之下，相去三寸。

解剖：在第六及第七胸椎横突起間之外方，有僧帽筋、及菱形筋，循横頸動脈下行枝，分布肩胛背神經、及肋間神經。

療法：針三分、灸五壯乃至十五壯。

主治：心臟外膜炎、腸腋神經痛、腰背部痙攣、嘔吐、眩暈、盜汗、間歇熱。

25、膈關

位置：膈俞之旁開一寸五分。

91

解剖：在第七及第八胸椎横突起間之外方、有僧帽筋、及背腸肋諸筋循横頸動脈、分布肩胛背神經、及肋間神經。

療法：針五分左右、灸三壯乃至五壯。

主治：背部痙攣、食道狹窄、嘔吐、吃逆、流涎、腸加答兒、作用瘧疾、肋間神經痛。

26、魂門

位置：第九椎之下、相去三寸、肝俞之旁。

解剖：在第九及第十胸椎横突起間之外方、有闊背筋、循後肋間動脈背枝。分布背椎神經、及肋間神經。

療法：針五分、灸三壯、乃至十五壯。

主治：肝臟病、肋膜炎、心内膜炎、胃痙攣、腸雷鳴、食道狹窄、食慾減退、消化不良、筋肉僂麻質斯、

27、陽綱

位置：胆俞之旁、開一寸五分、（胆俞在肝俞下一個脊椎。）

解剖：在第十及第十一胸椎横突起間之外方、有闊骨筋、循後肋間動脈分布肩胛下神經、及肋間神經。

療法：針一寸至一寸二分、灸七壯。

主治：消化不良、胃痙攣、腹鳴、食慾減退、肝臟病、肋膜炎、心内膜炎、筋肉僂麻質斯。作用爲肝俞附助點。

28、意舍

位置：第十一椎之下、相去三寸、脾俞之

92

旁。

解剖：在第十一及第十二胸椎橫突間之外方、有關背筋循後肋間動脈分布肩胛下神經、及肋間神經。

療法：針七分、灸五壯乃至十五壯。

主治：消化不良、嘔吐、胃弱、直腹筋痙攣、腹鳴、食慾減退、肝臟病、肋膜炎。

29. 胃倉

位置：胃俞之同高外開一寸五分。

解剖：在第十二胸椎及第一腰椎橫突起間之外方、循後肋間動脈、分布有胛下神經及肋間神經。

療法：針一寸二分至一寸五分、灸五壯乃至七壯。

主治：嘔吐、腹部膨脹、便秘、背椎神經痛、水腫病。作用為胃俞之附助刺點、効力不如胃俞。

第九節 腰部 (參閱第四圖)

(一)沿腰部正中線、自第一腰椎棘上突起至尾閭骨尖端之線、凡五穴。

30. 懸樞

位置：第十三椎之下。

解剖：在第一及第二腰椎棘上突起間、有薦骨脊柱筋、循後肋間動脈、分布腰椎神經之後枝。

療法：針三分、灸七壯乃至十五壯。

主治：腰椎神經痙攣、急性腸加答兒、胃腸神經痛。

31、命門

位置：第十四椎之下。

解剖：在第二及第三腰椎棘上突起間、有腸骨脊柱筋、循後肋間動脈分布腰椎神經之後枝。

療法：針三分、灸七壯乃至十五壯。

主治：頭痛、小兒腦膜炎、腸疝痛、腰神經痛、痔疾等。

命門（因與原本不同部位故依魯部長本復寫一穴）

部位：第十一與十二胸椎棘突之間。作用對於膀胱與會陰部有影响神經衰弱、陽萎、夜尿、遺精等。

療法：針一寸至一寸二分、灸一寸五分、灸七壯至二十壯。（用於產後之承閉有効）

32、陽關

位置：第十六椎之下。

解剖：在腰椎之棘上突起間、有腸骨脊柱筋、循腰動脈分布腰椎神經之後枝。

療法：針五分、灸五壯乃至十五壯。

主治：膝關節炎、腰椎神經痛、下腹膨脹、下痢、腸加答兒。

陽關（因部位不同故依魯部長本復寫一穴）

部位：第一腰椎與第二腰椎棘突之間。作用與命門同為命門附助刺點。

療法：針一寸至一寸二分、灸五壯至七壯。

33. 腰 俞

位置：第二十一椎之下、伏取之。

解剖：在薦骨管裂孔、腰骨筋膜中、循下臀動脈、分布薦骨神經後枝。

療法：針三分、灸五壯乃至十五壯。

主治：腰背神經痛、小兒夜尿症、月經閉止等。

34. 長 強

位置：脊骶之端。

解剖：在尾閭骨之下部、薦骨韌帶之下端、即大臀筋與外肛門括約筋中、循下臀動脈及內陰部動脈、下痔動脈等、分布尾閭骨神經、及外痔神經。

療法：針三分、灸五壯乃至二十壯。

主治：慢性痔疾、腸出血、胆汁下痢、嘔吐、慢性搐搦等。

長 強（因部位不同故依音部長本復寫一穴）

部位：第四與第五腰椎棘突之間。作用因神經性引起直腸弛緩、痔瘡出血腰部與生骨神經痛有効。

療法：針一寸五分至二寸、灸七壯。

（二）離腰部正中綫之外側、在第一側綫凡七穴。

35. 三 焦 俞

位置：第十三椎之下、相去一寸五分、懸

95

椎之旁。
解剖：在第一及第二腰椎棘狀突起間之外側、上層為闊背筋、下層為腸骨脊柱筋及方形腰筋、循腰動脈之背枝分布背神經之後枝。
療法：針七分、灸七壯乃至二十壯。
主治：胃痙攣、食慾減退、消化不良、嘔吐、腸加答兒、腸雷鳴、腎臟炎、腰椎神經痛、頭痛、眩暈、腦貧血、小兒腸加答兒。

36、○腎 俞

位置：第十四椎之下、相去一寸五分、命門之旁。
解剖：在第二及第三腰椎橫突起間之外側、上層有腰背筋膜下層有腸骨脊柱筋、及方形腰筋循腰動脈之背枝分布腰椎神經之後枝。
療法：針五分乃至八分、灸三壯乃至廿五壯。
主治：腎臟炎、肝臟肥大、膀胱麻痺及痙攣、痔疾、淋疾、糖尿病、尿血、腰椎神經痛、精液缺乏、夢遺、失精、身體羸瘦、月經不順、胃出血、腸出血、肋間神經痛。

腎 俞（因穴部位不同故

按骨部長註

部位：在第十二胸椎與第一腰椎棘突之間、旁開一寸五分。作用：胃脘疾病、瘧疾、血液寄生蟲病、腰部肌肉神經痛、此點等與蘇聯腰神經阻塞點。

96

療法：針一寸二分至一寸五分、或二寸、灸七壯、此點不可過深、深則傷腎血管及付腎很危險、淺則無効、針的方向不可向外切

37. ○大腸俞

位置：第十六椎之下、相去一寸五分、陽關之旁。

解剖：在第四及第五腰椎橫突起間之外側有濶背筋、薦骨脊柱筋、大腰筋、循腰動脈背枝、分布腰椎神經之後枝。

療法：針八分乃至一寸、灸七壯乃至二十壯。

主治：脊柱筋痙攣、腰椎神經痛、腹部膨脹、腸加答兒、腸雷鳴、腸出血、下痢、盲腸炎、淋疾、遺尿、腎臟炎。

大腸俞（因穴部位不同故按骨部長編的復寫一穴）

部位：第三與第四胸椎棘突之間旁開一寸五分。作用腸炎有効、神經性的膀胱括約肌痙攣、腰部神經痛。

療法：針一寸至一寸五分、灸七壯。

38、小腸俞

位置：第十八椎之下、相去一寸五分上髎之旁。

解剖：在第一及第二薦骨假棘狀突起間之外側、第五腰椎橫突起、薦骨與之間、有腰背筋膜、薦骨脊柱筋、及方

形腰筋、循腰動脈之背枝、分布薦骨神經。

療法：針八分乃至一寸、灸七壯乃至二十壯。

主治：腸加答兒、腸疝痛、下痢、便秘、淋疾、痔疾、背椎及腰椎薦骨部之神經痛、子宮內膜炎。

39. 膀胱俞

位置：第十九椎之下、相去一寸五分、次髎之旁。

解剖：在第二及第三薦骨假棘狀突起間之外側、上層為腰背筋膜、下層為薦骨柱筋之起始部、循側薦骨動脈、分布腰椎神經之後枝。

97

療法：針八分乃至一寸、灸七壯乃至十五壯。

主治：膀胱加答兒、遺尿、便秘、下痢、腰椎神經痛、下腹神經痛、薦骨神經痛、子宮內膜炎。

40、中膂內俞

位置：第二十椎之下、相去一寸五分、中髎之旁。

解剖：在第三及第四薦骨假棘狀突起間之外側、有腰背筋膜、中臀筋、循上臀動脈、分布薦骨神經之後枝。

療法：針六分乃至八分、灸七壯乃至十五壯。

主治：糖尿糖、腹膜炎、腸加答兒、腸神經

痛、腰神經痛。

41、白環俞（禁灸）

位置：第二十一椎之下、相去一寸五分、下髎之旁。

解剖：在薦骨裂孔之兩側、有大臀筋、及梨子狀筋、循下臀動脈分布下臀神經與薦骨神經之後枝。

療法：針七分。

案：原本不記禁灸而無灸壯、甲乙經刺入八分、亦無灸壯、水穴註云、刺入五分、不宜灸、與氏本刺八分灸三壯、玉森氏本禁灸、應列禁灸。

主治：薦骨神經痛及痙攣、肛門諸筋痙攣、坐骨神經痛、便秘、尿閉、子宮內膜炎、四肢麻痺、

（三一）離腰部第一側綫之外側、一寸五分、在第二側綫、凡四穴。

42、肓門

位置：第十三椎之下、相去三寸、三焦俞之旁。

解剖：在第一及第二腰椎横突起間之外側、有方形腰筋、濶背筋、及薦骨脊柱筋、循腰動脈之背枝分布腰椎神經後枝。

療法：針七分、灸七壯乃至十五壯。

主治：胃痙攣、常習便秘、乳腺炎。

43、志室

位置：第十四椎之下、相去三寸、腎俞之

99

旁。

解剖：在第二及第三腰椎橫突起間之外方，有方形腰筋及闊背筋、循腰動脈背枝，分布腰椎神經後枝。

療法：針七分，灸五壯乃至十五壯。

主治：夢遺、失精、陰具神經痛、陰門腫脹、陰部諸瘡、腎臟炎、淋疾、消化不良、嘔吐、吐瀉。

44、胞肓

位置：第十九椎之下，相去三寸，膀胱俞之旁。

解剖：在第二及第三薦骨椎假橫突起間之外方，有大臀筋、小臀筋及梨子狀筋，循上臀動脈，分布上臀神經、下臀神經、及坐骨神經之後枝。

療法：針七分，灸五壯乃至十壯。

主治：腸加答兒、腸雷鳴、便秘、尿閉、淋疾、睾丸炎、直腸筋痙攣、腰背部疼痛。

45、秩邊

位置：第二十一椎之下，相去三寸，白環俞之旁，下髎同高，旁開一寸五分至二寸五分，因薦寬度不同而定

解剖：在第三及第四薦骨椎假橫突起間之外方，有小臀筋及梨子狀筋、循上臀動脈，分布上臀神經、下臀神經及薦骨神經。

療法：針二寸至二寸五分，灸七壯以上。

主治：加答兒性膀胱炎、腰椎神經痛、坐

骨神經痛、痔疾等之作用為八髎之附助刺激點。

（四）後荐骨孔及尾閭骨之外側、凡五穴。

46．上 髎

位置：腰髁之下一寸、第十八椎之下、相去八分之第一空。

（腰髁腸骨後上棘第一空、第一後荐骨孔也）

解剖：在第一後荐骨孔部有腰背筋膜、荐骨脊柱筋、備側荐骨動脈、分布荐骨神經之後枝。

療法：針八分乃至一寸五分、灸七壯乃至十五壯。

主治：便秘、尿閉、嘔吐、衄血、腰痛、坐骨神經痛、膝蓋部厥冷、子宮內膜炎、子宮脫出、不姙症、月經不順。

上髎（接魯部長編的復列穴）

部位：第五腰椎棘突與荐椎之間旁開八分至一寸（因荐椎大小不同、不同而距離不同、不能刺八化骨處）

47．次 髎

位置：第十九椎之下、相去五分之第四空。

解剖：在第二後荐骨孔部、有腰背筋膜、荐骨柱脊筋、備側荐骨動脈、分布荐骨神經之後枝。

101

療法：針八分乃至一寸、灸七壯乃至十五壯。

主治：便秘、尿閉、嘔吐、衄血、腰痛、坐骨神經痛、膝蓋部厥冷、子宮內膜炎、子宮脫出、不姙症、月經不順、淋疾、睾丸炎。

次髎

部位：在上髎下方一寸。

48. 中髎

位置：第二十椎之下、相去七分之第三空。

解剖：在第三後荐骨孔部、有腰背筋膜、荐骨脊柱筋、附側荐骨動脈分布、荐骨神經之後枝。

療法：針八分乃至一寸、灸七壯乃至十五壯。

主治：便秘、尿閉、嘔吐、腰痛、坐骨神經痛、子宮內膜炎、月經不順、睾丸炎。

中髎

部位：在次髎下方一寸。

49. 下髎

位置：第二十一椎之下、相去六分之第四空。

解剖：在第四後荐骨孔部、有腰背筋膜、荐骨脊柱筋、附側荐骨動脈分布、荐骨神經之後枝。

療法：針六分乃至八分、灸七壯乃至十五壯。

主治：便秘、尿閉、腰痛、子宮內膜炎、月經不順腸出血。

下髎

部位：在中髎下方一寸。（以上兩側共稱八髎。）作用主要刺激馬尾神經、膀胱炎、直腸炎、神經性的脫肛、腰神經痛、肛門括約肌弛緩、坐骨神經痛、據書載全身疾病如浮腫（任何原因）皆有効。

療法：針一寸至一寸五分、灸七壯至二十壯或三十壯、不等、可靈活應用與使用目的。

50、會陽

位置：陰尾骨（即尾閭骨也））之下方處。

解剖：在尾閭骨下端之兩側、大臀筋之起始部、有肛門擧筋、肛門括約筋、備下痔動脈分布會陰神經。

療法：針八分至一寸深、不灸。

主治：腸加答兒、腸出血、慢性痔疾、陰部汗濕、作用與長强同、為長强之附助刺激點。

（五）肩胛部、凡十三穴。

51、肩中俞

位置：肩胛之內廉、去大椎之旁二寸。

解剖：在第一胸椎棘上突起之兩側、在僧帽筋、菱形筋、備上肋間動脈、及肩胛動脈之分枝、分布肋間神經分枝、肩胛背神經及背椎神經之後枝。

療法：針三分乃至六分、灸五壯乃至十壯。

主治：氣管枝炎、喘息、頸項部痙攣、嘔血、視力缺乏。

52、●肩外俞　孔穴學有肩外、在溫灸補編中、即孔穴之肩胛

位置：肩胛之上廉、去脊三寸。

解剖：在第三肋骨後端之上緣、有僧帽筋、項長筋、後上鋸筋及菱形筋、橫頸動脈分布、背椎神經、副神經、後胸廓神經。

療法：針六分、灸三壯乃至十壯。

主治：肩胛部神經痙攣、上膊部麻痺及厥冷。

53.　肩井

位置：肩之上、陷中、僧帽肌游離緣的正中即肩峰與第七頸椎的正中點、

解剖：在肩胛舉筋與棘上筋之間、有僧帽筋、橫肩胛動脈分布、肩胛上神經、及副神經。

療法：針一寸至一寸五分、灸七壯。應注意發生休克不能太深防傷肺尖、針取垂直而入。

主治：腰痛、頸項部痙攣、前膊疾痛、衝心性腳氣、半身不遂、中風、腦神經衰弱、產後子宮出血、眩暈、早產後下肢厥冷。作用主要刺激上膊神經疾患、與缺盆相似、整個上膊疾患、皆可用之、

因神經與頸部神經有吻合枝、故對頸部疾患也有効、對全身影响很大、據書載對腦出血的後遺症及痴呆都有効。

54、天髎

位置：肩井之後一寸。

解剖：在肩胛骨之上部、有僧帽筋及棘上筋、循橫肩胛動脈、分布肩胛上神經及副神經。

療法：針五分、灸五壯乃至七壯。

主治：頸項部痙攣、頸項部厥冷。

55、秉風

位置：挾天髎、在外肩之上。

解剖：在肩胛棘起始部之上際、即僧帽筋部下層爲棘上筋之集合部、循橫肩胛動脈分布肩胛下神經及副神經。

療法：針五分、灸七壯。

主治：肩胛部痙攣及麻痺、上膊部疼痛。

56、曲垣

位置：肩之中央陷中。巨骨內下方約二橫指肩胛脊上緣外1/3處。

解剖：在肩胛棘隅之上際、有僧帽筋及肩胛擧筋、循橫肩胛動脈、分布肩胛上神經及副神經。

療法：針一寸至二寸、灸七壯至十四壯。

主治：肩胛部痙攣、上膊部疼痛、作用肩胛關節炎有特效、上膊肌肉神經痛。

57、○巨骨

位置：肩端之上、两叉骨之間、陷中。肩峰與肩胛脊外側端之間。

（两叉骨之間鎖骨與肩胛骨相联之間也）

解剖：在肩骨棘與鎖骨外端之間、上層為三角筋下層為棘上筋之集合部循肩胛動脈分枝及腋窩静脈分布腋窩神經及肩胛上神經、前胸廓神經。

療法：針一寸至一寸五分、灸三壯。

主治：小兒搐搦、下齒神經痛、胃出血、上膊部麻痺疼痛、肩臂屈伸不能。作用僧帽肌、及上膊肌、肩関節等疾症有効。

58、○天宗

位置：秉風之後、大骨之下、陷中。

（大骨、肩胛棘也）

解剖：在肩胛骨之棘下筋部、淺層有僧帽筋、循横肩胛動脈、分布肩胛上神經及副神經。

療法：針五分、灸五壯乃至七壯。

主治：肩項痙攣及麻痺、上膊部疼痛、上肢上擧不能。

59、○臑俞

位置：肩髎之後、大骨之下。

解剖：在肩胛骨関節窩之後方、三角筋中、循横肩胛動脈、分布腋窩神經。

療法、針五分、灸三壯乃至七壯。

主治、肩胛部及上膊部疼痛、頸鎖部腫痛。

60、○肩髃

位置、肩之端髃之上、肩峯略下三角肌中部。

解剖、在肩峯突起與上膊骨大結節及鎖骨之関節部、三角筋上緣之中央。循後廻旋上膊動脈及腋窩靜脈、分布腋窩神經、鎖骨上神經、及肩胛上神經。

療法、針一寸至一寸五分、灸七壯、肌肉發達的需二寸、針取水平方向入。

主治、半身不遂、動脈軟化症、血壓亢進、後頭部及肩胛部痙攣作用、上膊神經痛、及上膊關節炎有効。

61、肩髎

位置、肩之端、兩骨之間、鎖骨下緣三角肌鎖骨起始部、[illegible]角[illegible]臑中、鎖骨1/3之下。（兩骨、肩峯突起與上膊頭也）

解剖、在肩胛骨肩峯突起之下際、即上膊骨與鎖骨之関節部、上層為三角筋、下層為棘下筋集合部、循前廻旋上膊動脈、及腋下靜脈、分布腋窩神經、及肩胛上神經。

療法、針一寸至一寸二分、灸五壯乃至七壯、病人採取臥位、針直下。

主治、肩胛部及上肢痙攣作用、三角肌

灸、及肩関節炎等。

62、臑 會

位置、去肩三寸。

解剖、上膊後面之上部、即三角筋停止部之外緣、下層有三頭膊筋、循後廻旋上膊動脈、分布後膊皮下神經。

療法、針五分乃至七分、灸五壯乃至十五壯。

主治、前膊諸筋痙攣及麻痺、肩胛部焮衝、頸項部血瘤、瘰癧瘤。

63、○肩 貞（禁灸）

位置、曲胛之下、肩髃之後四横指、三肩肌肩胛嵴起始部、與肩髎相對處。

107

解剖、在肩峯突起後下方一寸之所、即肩峯突起與上膊骨之関節部、上層為三角筋後緣、下層有棘下筋、循後廻旋上膊動脈、分布肩胛上神經及腋下神經。

療法、針一寸至一寸二分、灸五壯至七壯。

主治、耳鳴、耳聾、肩胛部疼痛、關節炎、四肢麻痺、作用上膊肌及神經痛。

第十節 上肢（參照第五圖）

（一）自上膊之前外側、經肘窩至拇指撓側爪端之線。凡九穴。据說上膊全呼吸有影响、下膊腹腔有影响。

64、天 府（禁灸）

位置、腋下三寸、臑之內廉。

解剖：在上膊骨内側之上部、即二頭膊筋部、循腋窩動靜脈、及上膊動脈之分枝、分布橈骨神經、正中神經、内外中膊皮下神經。

療法：針四分。（按、原本及他書皆禁灸、玉森氏本灸七壯。）

主治：氣管枝炎、眩暈、精神病、慢性關節炎、上膊神經痛、瓦斯中毒、間歇熱、近視眼、衄血。

65、○俠白

位置：天府之下一寸。

解剖：在上膊骨内側之中央部、即二頭膊筋與内膊筋之間、循上膊動脈及頭靜脈、分布内外膊皮下神經。

療法：針三分、灸五壯。

主治：心臟病、胸部神經痛、心悸亢進、乾嘔。

66、○尺澤

位置：肘之中、約文之上。肘窩橈側、凹窩内處。（約文、肘窩之横皺也）

解剖：在橈骨與上膊之關節部、當二頭膊筋腱之外緣、膊橈骨筋起始部之内緣、循尺骨及橈骨動脈、分布橈骨神經、正中神經。

療法：針八分至一寸、灸三壯。

主治：肺結核、咯血、氣管枝炎、肋膜炎、喘息、四肢運動麻痺、膀胱麻痺、精神病、前膊部痙攣、小兒痙攣、作用對胃腸

109

有影响、尤以多發性胃腸炎、對上呼吸道也有影响、對喉頭炎作用比少商大。

67、孔最

位置：腕上七寸。

解剖：在廻前圓筋之停止部、上層外膊骨筋之內緣、下層為長屈拇筋之外緣、循橈骨動脈、通頭靜脈、分布外膊皮下神經及橈骨神經。

療法：針五分、灸五壯。

主治：肺出血、咳嗽、嘶嗄失聲、咽喉加答兒。

68、列缺（禁灸）

位置：腕上一寸五分、經渠上方二寸處。

解剖：在內橈骨筋腱之外側、長屈拇筋之外緣、廻前方筋中、循橈骨動脈之分枝、通頭靜脈、分布外膊皮下神經及橈骨神經。

療法：針一寸至一寸二分、不灸、注意勿傷橈動脈。

主治：顏面痛及麻痺、橈骨部諸筋組織炎、作用退熱。

69、經渠（禁灸）

位置：腕上一寸、寸口脈中、太淵上方一寸。

解剖：在內橈骨筋腱之外部、廻前方筋中、循橈骨動靜脈之通路、及頭骨動脈、分布外膊皮下神經、及橈骨神經。

110 療法：針五分左右，不灸，注意勿傷橈動脈。

主治：扁桃腺炎、喘息、食道痙攣、嘔吐、吃逆、欠伸等。作用：對脾臟有關之疾病、可以退熱，脾臟腫大時可以用之。

70、太　淵

位置：掌後陷中，橈側腕關節部外展拇肌腱與拇指屈肌腱之間的凹窩內。

解剖：在內橈骨筋腱之外側，迴前方筋之下緣，舟狀骨結節之外上部，循橈骨動脈及動靜脈，分布外膊皮下神經及橈骨神經。

療法：針三分至五分，不灸，注意：不要傷橈骨動脈。

主治：肺臟肥大、肺及氣管枝出血、咳嗽、胸部神經痛、前膊神經痛。作用：止吐、催眠。

71 魚　際（禁灸）

位置：大指本節後之內側（拇指球肌中心點）

解剖：在第一掌骨之後側，與舟狀骨之關節部，即短外轉拇筋之停止部，循橈骨動脈，分布正中神經。

療法：針五分至八分。

主治：頭痛、眩暈、胃出血、舌上黃色。作用：於少商同，效力稍小。

72、少　商（禁灸）

位置：大拇之內側，指甲角之上內方，約

三分處。

解剖：在拇指第二節之前外側、爪甲之發生根部、有拇指內轉筋、循橈骨動脈之絡枝、分布橈骨神經之前枝。

療法、針三分至五分。

主治、腦充血、煩頸組織炎、食道狹窄、黄疸、吃逆、口內出血、舌下軟瘤、重舌、唇焦、手指痙攣、小兒慢性腸加答兒、小兒乳蛾（作用對扁桃腺炎有特效、喉頭炎也有效）對刺。

（二）上膊前面之正中、肘窩之內側、經中指橈側爪端之線、凡八穴。

73、天泉

111

位置、曲腋之下二寸、舉肘取之。

解剖：在上膊骨前內側、三頭膊筋部、循上膊動脈、分布內膊皮下神經筋枝。

療法：針四分灸三壯。

主治：心內膜炎、上腹部膨脹、吃逆、視力缺之。

（主）主刺點 74 曲澤

位置：肘窩正中、約文之上、曲肘取之。

解剖：在肘窩之正中上膊骨與前膊骨之關節部、二頭膊筋腱橈側、循上膊動脈及貴要靜脈、分布中膊皮下神經、及正中神經。

療法：針一寸至一寸二分灸五壯不能太深防傷肘關節和頭靜脈。

主治：心臟炎、氣管枝加答兒、肘臂神經

痛嘔吐患症。作用對胃腸有關，在何腹部疼痛有效，消化不良，腸炎也可止吐，為刺腹部神經之配穴。

75. 郄門

位置：掌後五寸。

解剖：在橈骨與尺骨之中間，長屈拇筋，與淺屈拇筋之間，循尺骨動脈之枝別前骨間動脈，分布正中神經。

療法：針四分，灸五壯。

主治：胃出血，衄血，咳逆，歇私的里。

76. 間使

位置：郄門之下二寸，兩筋之間，掌後三寸，內關上一寸處。（兩筋之間，長屈拇筋之腱與淺屈指筋之腱之間也。）

解剖：在橈骨與尺骨之中間，長屈拇筋與淺屈指筋之間，循前骨間動脈，分布正中神經。

療法：針八分至一寸，灸三壯，可與內關交換刺點。

主治：心臟炎，咽喉加答兒，胃加答兒，中風，憂鬱症，月經不調，子宮充血，小兒搐搦及夜啼。作用與列缺同，主要為退熱，其他也和內關同。

主刺點（治）

77. 內關

位置：間使之下一寸，兩筋之間，掌後二寸，腕關節正中線上方二寸處。

解剖：在橈骨與尺骨之中間，長屈拇筋

113

與浅屈指筋之間、循前骨間動脉分布正中神經。

療法：針一寸至一寸二分、灸三壯、勿太深、防傷骨間動脉、進針要慢（損傷易產動脉瘤）。

主治：心臟炎、心外膜炎、黃疸、眼球出血、肘臂神經痛、產後血暈、作用對胃有影响、能止吐、急慢性胃炎皆可用、瘧疾第一次亦用此點。

78、大陵

位置：掌後兩筋之間、掌側腕關節正中線上。

解剖：在腕關節之前面横紋正中之陷凹部、迴前方筋之下緣、有横腕韌帶、循尺骨動脉、橈骨動脉、分布正中神經。

療法：針五分至八分、不灸（患者手指等有蜗究即停止）。

主治：心臟炎、心外膜炎、胸肠神經痛、腋下腺炎、尿色赤黃、扁桃腺炎、頭痛、發熱、疥癬、急性胃加答兒、胃出血、作用對失眠有特效、手部神經性疼痛有效。

79、勞宮

位置：掌之中央、取穴時手指握掌中指尖所觸之處。

解剖：在第二掌骨與第三掌骨之間、手掌腱膜中、循手掌動脉、分布正中神療法：經。

針三分乃至五分、灸三壯、注意勿傷掌弓動脈。

（案原本灸七壯乃至十壯、甲乙經灸三壯、玉森氏本禁灸）。

主治：血壓亢進、血管硬化、鵝口瘡、黃疸、衄血、小兒齦爛、作用對失眠咳救神經衰弱等有効。

80、中衝（又名關冲）不灸

位置：中指之兩側指尖正中處。

解剖：在中指第三節爪根之發生根部外側、即總指伸筋腱之附着部、循指背動脈、分布橈骨神經手背枝。

療法：針二分至三分。

主治：心臟炎、心內外膜炎、小兒夜啼、作用救急對於充虛脫肺水腫危險時發生的循環障碍心肌衰弱為強心主要刺激點、配合少商、商陽、中冲少澤、少冲兩手同時用叫十宣。

（三）自上膊之前內側、腋窩之前壁、經上膊內上髁之前側、至小指橈骨側爪端之線、凡九穴。

81、極泉

位置：腋下毛中、近胸筋之間。

解剖：在大胸筋停止之外側、與肩胛下筋之間、循腋窩動脈及肩胛動脈分布內膊皮下神經。

療法：針五分、灸五壯。

115

主治：心臟炎肋間神經痛、胸膜神經痙攣、歇私的里、肘臂厥冷。

82. ○青靈（禁針）

位置：肘上三寸。

解剖：在上膊骨之前内側、上層為二頭膊筋内緣下層為内膊筋之接際部陷中循上膊動脈、腋窩動脈之分枝、及貴要靜脈分布内膊皮下神經。

療法：灸五壯。

主治：眼球黄色前頭神經痛、肋間神經痛、肩胛攸上膊痙攣、間歇熱惡寒。

83. 少海

位置：肘大骨之内廉。肘窩尺側、與曲澤平處。

解剖：（大骨上膊骨内上髁也）在鶯嘴突起之内側、二頭膊筋腱之旁、内膊筋停止部之内緣、循尺骨動脈、分布尺骨神經之通路、正中神經、及中膊皮下神經。

療法：針五分乃至八分、不灸防止傷胳・動脈。

主治：腺病毒手指厥冷、精神病、肋間神經痛、顏面神經痛、項筋收縮、回顧不能。作用與通里同。

84. 靈道

位置：掌後一寸五分。

解剖：在尺骨下部之前内緣内尺骨筋腱之橈骨側、迴前方筋中循尺骨動脈分布尺骨神經之通路中膊皮下神經。

療法：針三分灸三壯乃至五壯。

主治：心内膜炎、歇斯的里、急性舌骨筋麻痺、乾嘔、肘臂部疼痛。

85、通里

位置：掌後一寸距神門上一寸處。

解剖：在内尺骨筋與淺屈指筋之間循尺骨動脈分布尺骨神經之通路中膊皮下神經。

療法：針五分至八分灸三壯。

注意勿傷尺骨動脈。

主治：頭痛、眩暈、神經性心悸亢進、扁桃腺炎、急性舌骨筋麻痺、眼球充血、上肢痙攣、歇斯的里、月經過多、子宮出血、遺尿，作用促進胃腸蠕動，對大便秘結、消化不良有効。

86、陰郄

位置：掌後五分。

解剖：在内尺骨筋腱與淺屈指筋之間，循尺骨動脈分布尺骨神經之通路，中膊皮下神經。

療法：針三分灸三壯乃至五壯。

主治：頭痛、衄血、眩暈、神經性心悸亢進、扁桃腺炎、急性舌骨筋麻痺、胃出血、惡寒、發熱、逆上、子宮内膜炎。

87、神門

位置：掌後鋭骨之端、掌側腕關節部、尺

骨小頭下内方、與大陵平。

解剖、（豌骨、豆骨也）在豆骨與尺骨之關節部、即内尺骨筋之停止部、循環掌側動脈、分布尺骨神經。

療法、針五分不灸、注意、勿刺入關節囊内、勿傷尺骨動脈。

主治、心臓肥大、胃出血、敏血、鼻腔閉塞、尿道麻痺、食欲減退、子宮内膜炎、產後血暈、瘰癧、神經性心悸亢進、扁桃腺炎、作用主要能催眠。

117

88、少府

位置、手小指本節之後、直勞宮。

解剖、在第四掌骨與第五掌骨之間、即小指屈筋之停止部、循指掌動脈分布尺骨神經之指掌枝。

療法、針三分、灸三壯乃至五壯。

主治、肋間神經痛、尿閉、子宮脫出、陰門瘙癢、膣内神經痛。

89、少衝

位置、小指之内側、去爪甲、如韭葉、小指橈側指中線上内方約三分。

解剖、在小指第三節之外側、爪廓之發生根部、循指掌動脈、分布尺骨神經之指掌枝。

療法、針一分、不灸。

主治、熱病後衰弱、肋膜炎、肋間神經痛、

118

神經性心悸亢進、上肢神經痙攣、瘰頭痛、咯血、作用強心作救急用。

(四)在上膊之外側三角筋停止部、經上膊骨外上髁之前側、至示指之橈側爪端之線、凡十四穴。

90、臂臑

位置：肘之上七寸、肩髃之下三寸。

解剖：在上膊骨之外側三角筋停止部、循後迴旋上膊動脈及頭靜脈、分布腋窩神經及後膊皮下神經。

療法：針三分乃至五分、灸七壯乃至十五壯。

主治：上膊神經痛、顱頂部諸筋痙攣、瘰癧。

91、○五里（禁針）

位置：肘上三寸、臂臑之下三寸。

解剖：在上膊骨之外側、三頭膊筋外緣深部、為螺旋狀溝之下部、循橈骨側副動脈、分布後膊皮下神經及橈骨神經。

療法：灸七壯。

主治：肺炎、肋膜炎、咳嗽、僂麻質斯、腺病。前膊神經痛、四肢麻痺、嗜眠、瘰癧。

92、肘髎

位置：肘之大骨外廉。

（大骨上膊骨外上髁也）。

解剖：在膊橈骨筋之起始部、三頭膊筋外緣、循返迴橈骨動脈、及中頭靜脈、

119

分布膊皮下神經。

療法：針三分、灸三壯。

主治：上膊神經痛肩膊部之關節僂麻質斯、上肢麻痺、肩胛部及臂部麻痺、

主要點（合）93、〇曲池

位置：肘外之輔骨在強曲肘時橫紋的外側端處。

解剖：（肘外之膊骨、上膊骨下端之小頭與橈骨上端小頭之關節部也）。在上膊骨之外上髁與橈骨之關節部。深部有膊橈骨筋、循返迴橈骨動脈、分布橈骨神經之分歧部、外膊皮下神經。

療法：針二寸至三寸半、灸三壯乃至五壯、注意：同時可影响三條神經針要直下防傷肱骨動脈。

主治：扁桃腺炎、上膊神經痛、肩胛神經痛、肘臂神經痛、半身不遂、中風、胸膜炎等。作用全身皮膚病有特殊効能如濕疥、蕁麻疥、膿泡疹、疱癬等。

94.〇手三里

位置：曲池之下三寸。

解剖：在橈骨上緣之外部膊橈骨筋與長外橈骨筋之間、下層有迴後筋、循橈骨動脈之分枝、及頭靜脈、分布橈骨神經之後枝、外膊皮下神經。

療法：針一寸二分至一寸五分、灸五壯乃至七壯、取穴時肘關節屈曲手心

向內的位置針直下。

主治：齒神經痛、頰頷組織炎、瘰癧、肘臂神經麻痺、半身不遂、中風、顏面神經麻痺、乳癰、作用對於肘、腕關節炎及神經痛、瘰癧初期等有効、對內臟神經有影响、胃腸炎痢有効。

95、上廉

位置：三里之下一寸。

解剖：在橈骨小頭前下部、膊橈骨筋與長外橈骨筋之間、循尺骨動脈之分枝、分布尺骨神經及外膊皮下神經。

療法：針五分、灸五壯乃至十壯。

主治：膀胱括約筋麻痺、淋疾、半身不遂、中風、喘息、腸雷鳴。

96、下廉

位置：上廉之下一寸、曲池之下四寸。

解剖：在橈骨小頭前下部、膊橈骨筋與長外橈骨筋之間、循橈骨動脈之分枝、分布橈骨神經及外膊皮下神經。

療法：針五分、灸六壯。

主治：膀胱麻痺、尿黃色、便血、下腹部痙攣、腸雷鳴、心胸神經痛、喘息、乳癰。

97、溫溜

位置：下廉之下一寸、曲池之下五寸、

解剖：有膊橈骨筋與長外橈骨筋之間、循橈骨動脈之分枝、分布橈骨神經及外膊皮下神經。

療法：針五分、灸五壯乃至三十壯。

121

主治：腸雷鳴、下腹痙攣、舌炎、舌肥大、神經性口内炎、癰疔。

98、偏歷

位置：腕後三寸。

解剖：在総指伸筋腱與拇指伸筋腱之間，循橈骨動脈，分布橈骨神經之後枝及外膊皮下神經。

療法：針五分、灸五壯乃至七壯。

主治：衄血、耳鳴、耳聾、歯神經痛、肩胛肘腕部神經痙攣、癲癇、咽喉乾燥、扁桃腺炎。

99、陽谿

位置：腕中之上側，兩筋之間。

解剖：在舟狀骨橈骨之間，腕腕関節外面之腕中，當短伸拇筋與長伸拇筋之間，循橈骨動脈及頭静脈，分布橈骨神經及外膊皮下神經。

療法：針三分、灸五壯。

主治：頭痛、耳鳴、耳聾、扁桃腺炎、歯神經痛、半身麻痺。

主刺點(古) 100、。合谷（虎口）

位置：手之大指次指岐骨之間，橈骨神經與尺骨神經之混合枝。

解剖：在第一掌骨與第二掌骨之骨間中央部，長伸拇筋與総指伸筋之腱膜間，循橈骨動脈，分布橈骨神經。

療法：針一寸至一寸二分、灸三壯，取穴時，拇食中三指插挑，防傷指間静脈

全身反應很大、
注意：發生休克特别神經質病人更應注意最好取臥位孕婦絕對禁針若針胎兒逐漸吸收或小產。
主治：頭痛肩胛神經痛、角膜白翳、視力缺乏耳聾耳鳴衂血下齒神經痛、扁桃腺炎作用牙痛可影响口腔、口腔炎急性鼻炎喉頭炎、全身自主神經系的極大力反應感冒也可用(兩側同刺)

101、三間
位置：手之大指次指、內側本節之後。
解剖：在固有示指伸筋腱之外緣循指掌動脈及頭静脈、分布撓骨神經。
療法：針三分、灸三壯。
主治：扁桃腺炎呼吸困難肩背神經痛、上膊神經痛下齒痛舌肥大口腔乾燥、唇焦、腸雷鳴下痢眼瞼癢痛等。

102、二間
位置：大指次指之內側、本節之前。
解剖：在総指伸筋腱之附着部循指背動脈及頭靜脈分布撓骨神經。
療法：針三分灸三壯。
主治：喉頭加答兒、扁桃腺炎、食道狹窄、急性口輪諸筋萎縮、頷膊組織炎、肩背上膊神經痛黄疸、衂血、齒神經痛。

103、商陽
位置：大指次指之內側、去爪甲如韭葉、

解剖：食指指甲角上內方約三分處。在總指伸筋末端附着部，循指背動脈及頭靜脈，分部橈骨神經之指背枝。

療法：針二分至三分，不灸。

主治：肋膜炎，喘息，間歇熱，發汗，腦充血，顏面組織炎，扁桃腺炎，頤頷炎，口部諸筋萎縮，口內炎，喉頭加答兒，下齒神經痛，耳聾，耳鳴等。 作用強心。

（五）自上膊後側之中部，經尺骨鶯嘴突起至無名指之尺側指端之線，凡十二穴。

104. ○消濼

位置：肩之下，臑之外。

解剖：在上膊骨結節之後下方，螺旋狀溝部，有三頭膊筋，循橈骨動靜脈，中頭靜脈，分布後膊皮下神經及橈骨神經。

療法：針五分，灸三壯乃至七壯。

主治：頭痛，頸項部組織炎及痙攣麻痺，肩胛部諸筋痙攣，癲癇，關節僂麻質斯。

105. ○清冷淵

位置：肘上二寸。

解剖：在上膊之後側，鶯嘴突起之尖端上方，三頭膊筋內緣，循下尺側副動靜脈，分布內膊皮下神經及尺骨神經。

療法、針三分灸三壯乃至七壯。
主治、肩胛部痙攣、上肢痙攣及麻痺。

106. ○天井

位置：肘外大骨之上一寸。
解剖：在上膊之後面鷹嘴突起之上方。三頭膊筋腱之內緣、循肘關節動靜脈網、分布內膊皮下神經及尺骨神經。
療法：針三分乃至五分灸三壯乃至五壯。
主治：氣管枝炎咽喉加答兒、憂鬱症、耳聾、眼瞼緣炎、頸項神經痛、腰椎神經痛、中風。

107. ○四瀆

位置：肘前五寸。
解剖：在橈骨與尺骨之間、總指伸筋與外尺骨筋之間循骨間動脈、分布橈骨神經之後枝、及下膊皮下神經。
療法：針六分灸三壯乃至七壯。
主治：咽喉加答兒、腎臟炎、前膊痙攣及麻痺、耳聾、下齒痛。

108. ○三陽絡

位置：腕後四寸、肱外髁略下方曲肱取穴。
解剖：在橈骨與尺骨之間、總指伸筋與小指伸筋之陷中、下層有長屈拇筋短屈拇筋、循骨間動脈、分布橈骨神經之後枝及下膊皮下、神經。
療法：針五分灸三壯。

主治：耳聾、下齒神經痛、寄生蟲、眼疾、作用前臂與肱部的炎症。

109. ○支　溝

位置：腕後三寸、兩橈之間。（兩橈即橈骨與尺骨也）

解剖：在橈骨與尺骨之間、總指伸筋與外尺骨筋之間、循骨間動脈、分布後下膊皮下神經及正中神經。

療法：針五分、灸五壯。

主治：限局性痙攣、肋膜炎、惡寒發熱、上膊神經痛、急性舌骨筋痙攣、嘔吐、常習便秘、產後血暈。

110. 會　宗

位置：腕後三寸支溝之旁。

解剖：在尺骨筋與固有小指伸筋之間、有總指伸筋、循後骨間動脈、分布橈骨神經之分枝及後下膊皮下神經。

療法：針五分、灸五壯乃至七壯。

主治：聾啞病、聽覺器疾病、皮膚疼痛。

111. 外　關

位置：腕後二寸、同內關相對、在陽池上二寸處。

解剖：在總指伸筋與固有小指伸筋之間、循後骨間動脈、分布後下膊皮下神經及橈骨神經之後枝。

療法：針五分至八分、灸三壯、附刺橈骨間動脈。

主治：耳聾、肘臂神經痛、上肢關節炎、

126.

作用同内関

112、陽池

位置、手之表腕之上、陥中、背側腕關節正中線與大陵相對。

（手之表即背之側也）

解剖、在尺骨與腕骨之關節部有總指神經循腕骨背側動脉分布腹下膊皮下神經、尺骨神經及橈骨神經後枝。

療法、針五分不灸防刺腕關節。

主治、間歇熱、糖尿病、腕關節炎。

作用手背與手指的炎症。

113、中渚

位置、手之小指次指、本節之後。

解剖、在第四掌骨之前下方、小指側之間陥中、循第四骨間指動脉分布尺骨神經。

療法、針三分灸三壯乃至五壯。

主治、眩暈頭痛耳聾咽喉腫痛角膜白翳肘臂神經痛關節炎、手之五指屈伸不能。

114、液門

位置、手之小指次指、本節之前。

解剖、在環指第一節與第二節之中間、小指之側、總指伸筋腱中、循第四骨間指骨動脉、分布尺骨神經。

療法、針一分、灸三壯。

主治、頭痛、耳聾耳、齒齦炎、角膜白翳、肘臂部痙攣。

115、關衝（中冲）

位置：在中指小的末端中央。

解剖：在第四指骨第三節之内側、爪甲之發生根部即総指伸筋之附着部、有固有小指筋循手背動脈、分布尺骨神經之手背枝。

療法：針三分至五分。

主治：乾嘔、頭痛、食欲減退、肘臂神經痛、角膜白翳等。

作用強心配十宣較樟腦強。

（六）於上膊後側之下部、向上膊骨内上髁與尺骨鶯嘴突起之間至小指尺側爪端之線凡八穴。

116、小海

位置：肘之大骨外廉、去肘之端五分。

解剖：在上膊骨與尺骨之中間鶯嘴突起之後側、尺骨筋起始部、循下尺骨副動脈、分布尺骨神經之主幹。

療法：針二分灸五壯。

主治：頸骨部組織炎、肩膊肘臂諸筋神經痛及痙攣、眼球黄色、聽覺器痲痺、齒齦炎、舞蹈病、下腹神經痛。

117、支正

位置：腕關節上三寸、外關上才字開一寸、尺骨内緣、不可在尺骨上。

解剖：在尺骨後面之中央、外尺骨筋中循骨間動脈、分布尺骨神經及中膊皮下神經、後下膊皮下神經。
療法：針五分至八分灸三壯乃至七壯。
主治：精神病、腦神經衰弱、眩暈、頭痛、顏面充血、上膊神經痛、肘臂痙攣、手指疼痛、撓手不能、眼瞼麥粒腫
作用手指痙攣或神經性運動障碍。

118、養老
位置：手之踝骨上之一空，腕上一寸。
（踝即八骨莖狀突起一空與莖狀突起之上際凹陷部也）。
解剖：在尺骨莖狀突起之正中部，外尺骨筋腱側，循腕骨背側動脈，分布尺骨神經。
療法：針三分灸三壯乃至五壯。

主治：肩臂運動神經痙攣及麻痺、眼球充血、視力減退。

119、陽谷
位置：手之外側，腕中鋭骨之下陷中。
（腕中鋭骨，尺骨莖狀突起也）
解剖：在尺骨莖狀突起之下際，固有小指筋之內部，循腕骨背側動脈，分布尺骨神經之手背枝。
療法：針三分灸三壯乃至五壯。
主治：眩暈、耳鳴、耳聾、癲癇、口內炎、齒齦炎、頰頷組織炎、肋間神經痛、尺骨神經痛、小兒搐搦、痔蟲等。

120、腕骨
位置：手之外側，腕之前。

129

解剖：（外側小指側也）。在第五掌骨腕骨之間、外尺骨筋之停止部、於外轉小指伸筋中、有豆骨掌骨韌帶、循腕骨背側動脈、分布尺骨神經之分枝。

療法：針五分灸三壯乃至七壯。

主治：上肢關節炎、頬頷炎、角膜翳、淚液過多、耳鳴頭痛嘔吐、肋膜炎。

121、後谿

位置：背側第四與五掌骨間之中點

解剖：在第五掌骨肉一部之前下方短小指屈筋之旁、有外轉小指筋、循指背動脈、分布尺骨神經之分枝。

療法：針五分灸三壯。

主治：頸項痙攣、回顧不能、肘臂痙攣、癲癇、鼻血、耳聾、角膜炎、白膜翳、疥瘡作用尺骨神經麻痺、催眠、亦為肋膜炎付助刺激點。

上肢背側神經刺激點：例圖：

手三里
支正
外關
陽池
合谷
后谿
商陽
少澤

130

122 前谷

位置：手小指本節之前外側陷中

解剖：在第五指骨第一節基底第五掌骨之關節部前內側短小指屈筋之旁有外轉小指筋循指背動脈分布尺骨神經之分枝

療法：針分二灸三壯

主治：癲癇咳逆吐血扁桃腺炎頰部焮衝耳鳴鼻孔閉塞前膊神經痛產後乳閉

123 少澤

位置：小指之外側去爪甲如韭葉

解剖：在第五指骨第三節內側爪甲之發生根部總指伸筋之停止部有外轉小指筋循尺骨動脈之指背枝分布尺骨神經之指背枝

療法：針一分灸三壯乃至五壯

主治：咳嗽頭痛扁桃腺炎心臟肥大前膊神經痛頸項神經痙攣白膜翳產後乳閉

依魯部長主作的材料給過去的本、部位不同。所以另列一穴。

部位：無名指橈側指甲角上內方約三分

作用：強心用。

技術：針二分至三分、深不灸。

第十一節下肢（參照第六番）勿過內髁

(一)有氣膝窩之中部、經大腿骨內上髁之

151

前側、至蹈趾外側、（小趾側）爪端之綫凡十一穴。

124 ○陰廉

位置：羊矢之下去氣衝二寸、陰股皺陷之中、（羊矢鼠蹊部之淋巴腺也）

解剖：在恥骨突起之下端、内轉筋之内緣、循外陰部動脈分布股神經及腰鼠蹊神經。

療法：針三分、灸三壯。

主治：不姙症子宮後屈症。

125 五里

位置：陰廉之下一寸。

解剖：在恥骨突起下端、長内轉股筋之内緣、循外陰部動脈、分布股神經、及閉鎖神經。

療法：針五分、灸五壯。

主治：胸膜炎慢性感冒後衰弱。

126 陰包

位置：膝上四寸、股之内廉、兩筋之間。（兩筋大腿前側之筋與内側之筋也）

解剖：在大腿内側上髁上方、四頭股筋之内緣、循股動脈及上外膝關節動脈分布内股皮下神經。

療法：針五分、灸三壯。

主治：腰臀部痙攣下肢痙攣、膝關月經不順。

127 曲泉

127位置、膝内輔骨之下、横紋頭、强曲膝取之。

解剖、在脛骨内關節踝下際、半腱及半膜樣筋之停止部、循膝關節動脈分布脛骨神經及蔷薇神經。

療法、針二寸至二寸五分、灸三壯乃至七壯、取盤膝位、針要直下。

主治、腸神經痛、陰股神經痛及痙攣、胸腹部痙攣、四肢神經痛、尿閉、陰門瘙癢、陰門腫痛、子宫脱出。作用膝關節炎及神經痛、及下腿肌神經痛、注意勿傷膝窩動脈。

128 膝關

位置、犢鼻之下二寸旁、陷中。

解剖：在脛骨内側之上部、有腓腸筋、循膝關節動脈、及脛股動脈分布脛骨神經。及蔷薇神經。

療法、針四分、灸五壯。

主治：關節偻麻質斯、膝關節内側疼痛。

129 中都

位置：内踝之上、胻骨之中、中封上方約七寸處脛骨之正線。(胻骨、脛骨體之後緣也)

解剖：在脛骨部、有脛骨筋、循脛骨動脈分枝。分布脛骨神經。

療法、針三分至五分、灸三壯、不能損傷骨膜、針與前面取水平而入。

主治：膝關節炎、咽喉加答児、作用下腿

133

肌肉及神經痛、和足關節炎。

130 蠡溝

位置：内踝之上五寸。

解剖：在脛骨之内面，有脛骨筋及比目魚筋、循後脛骨動脈，分布脛骨神經。

療法：針三分，灸三壯乃至七壯。

主治：腸神經痛、下腹痙攣、神經心悸亢進症、脊髓炎、下肢麻痺、尿閉、子宮内膜炎、月經不順。

131 中封

位置：内踝之前一寸，足關節正中凹處、太冲直上約五横指。

解剖：在第一楔狀骨内側、舟狀骨節之上部，前脛骨筋腱之外側，循前内踝動脈、及前脛骨動脈之枝，别内蹠骨動脈，分布大蕃薇神經、及深腓骨神經。

療法：針五分，灸三壯，足平放，針取直上方刺入，勿傷關節與足背動脈。

主治：膀胱加答兒、淋疾、黄疸、食慾減退、全身麻痺、下肢冷却，作用足關節炎、及神經痛。

132 太衝

位置：足之大趾本節之後二寸（第一與第二趾骨基底部之間，離趾三横指。）

解剖：在第一第二蹠骨、與第一楔狀骨關節之前部，長伸拇筋與短伸拇筋

134

之間循趾背動脈、分布淺在腓骨神經及內足蹠神經。

療法：針一寸至一寸二分、灸三壯至五壯、勿傷足背動脈。

主治：胸腸神經痛腰神經痛下腹痙攣淋疾子宮出血作用胃腸疾患之全身反應與合谷互用

133 行間

位置：大趾與次趾之間本節之後

解剖：在第一及第二蹠骨間腔內轉蹈筋之附着部循趾背動脈分布淺在腓骨神經及內足蹠神經

療法：針三分灸五壯乃至七壯

主治：腦貧血腹膜炎神經性心悸亢進腸神經痛便秘遺尿陰莖痛糖尿病月經過多小兒急性搐搦

134 大敦

位置：大趾之外側去爪甲如韭葉

解剖：在第一趾骨第二節之外側爪甲之發生根部即短伸蹈筋腱中循趾背動脈分布趾骨神經之終枝

療法：針三分灸五壯乃至七壯。

主治：（臍神經痛）上腹部及臍部膨脹又冷却腸疝痛便秘遺尿陰莖痛淋疾糖尿病月經過多子宮脫出

（二）自大腿前內側之中部經臍蓋骨之內側切過內踝之中部至蹈趾之內側爪端之綫凡十一穴

位置：135 〇箕門（禁針）
股之內廉魚腸之上兩筋之間血海之上六寸動脈應手
（魚腸股之內側軟所也兩筋大腿內側之筋與前側之筋也動脈股動脈也）
解剖：在大腿骨內部有縫匠筋薄股筋及內大股筋循股動脈分布皮下神經閉鎖神經股神經
療法：針五分灸三壯
按：原本禁針甲乙經刺入二分延命山玉森氏本針五分
主治：淋疾尿閉遺尿鼠蹊腺炎

135
136 血海

位置：膝臏之上內廉白肉之際二寸中
股骨踝內上方二橫指
（膝臏膝蓋骨也白肉大腿前側之筋也）
解剖：在大腿骨前內下部有內大股筋循膝關節動脈分布內股皮下神經及股神經
療法：針一寸二分一寸五分灸三壯乃至七壯防傷股動脈
主治：腹膜炎月經不順子宮出血子宮內膜炎作用膝關節炎與神經痛大腿神經痛

位置：137 〇陰陵泉
膝內輔骨之下陷中

136 （内輔骨大腿骨下端之内關節踝與脛骨下端之内関節踝合）

解剖：在下腿内側之上位脛骨頭之関節窩比目魚筋與腓腸筋三角腔二頭股筋之附着部循後脛動脈分布薔薇神經脛骨神經

療法：針一寸五分乃至二寸灸七壯針時病人取卧位小腿稍屈針從内方直入防傷脛骨動脈作用膝関節炎及神經痛下腿肌肉神經痛

主治：上腹部厥冷胸膜炎消化不良限局性痙攣吐瀉腸神經痛遺尿尿閉膣内炎

138 地機

位置：膝下五寸内踝之上八寸

解剖：在脛骨後内緣有比目魚筋循後頭骨動脈之分枝分布脛骨神經薔薇神經

療法：針四分灸三壯乃至七壯

主治：腰痛食慾減退胃痙攣尿閉精液缺乏月經痛

139 漏谷

位置：内踝之上六寸地机之下二寸

解剖：在下腿中央之内側比目魚筋部循後脛骨動脈之分枝分布薔薇神經脛骨神經

療法：針四分灸三壯乃至七壯

主治：腹鳴腹部膨脹消化不良肩胛部

137

主刺点 疼痛、脚氣、歇斯的里。

(六) 140 〇三陰交

位置：內踝之上三寸骨下陷中沿脛骨后緣

(骨下仲下腿於前取之)

解剖：在脛骨後內側後脛骨筋與長總趾屈筋之間循後脛骨動脈分布薔薇神經脛骨神經

療法：針八分至一寸灸五壯乃至七壯孕婦絕對禁用針由內方入呈水平面

主治：胃阿篤尼症食慾減退消化不良腹部膨脹腸疝痛腹鳴下痢四肢厥冷及倦怠下肢疼痛及麻痹尿閉痔疾小兒遺尿陰莖疼痛遺精早漏月經過多或過少子宮出血產後腦貧血婦人生殖器病腳氣動脈硬化血壓亢進能刺激兩條神經

141 商丘

位置：內踝之前下方陷中處

解剖：在內踝前下部之陷凹中十字韌帶之下側前脛骨筋與長伸踇筋之腱間循內跗骨動脈分布脛骨神經

療法：針五分灸三壯

主治：腹部膨脹腹鳴嘔吐便秘痔疾消化不良黃疸歇斯的里(百日咳作用足關節炎足[illegible]疼對腸胃有關

142 公孫

位置：足之大趾本節之後方

解剖：（本節即基底節也）在第一蹠骨與第一楔狀骨之關節內側有外轉蹈筋及長伸蹈筋循足背動脈分布薔薇神經

療法：針五分灸三壯孕婦（比合骨副作用少）禁用

主治：心臟炎肋膜炎胃癌嘔吐食慾減退下腹痙攣腸出血頭部及顏面浮腫癲癇作用與隱白用比隱白効力大

143 大白

位置：足大趾本節之後

解剖：在第一蹠骨末端之內側楔狀骨結節之下陷凹中有外轉蹈筋循足背動脈、分布脛骨神經之足蹠枝。

療法：針三分、灸三壯乃至五壯。

主治：胃痙攣、嘔吐、消化不良、便秘、腸疝痛、腸出血、腰痛、下肢疼痛及麻痺。

144 大都

位置：大足趾本節之前。

解剖：在蹈指第一節之前、外轉蹈筋停止部、循足背動脈、分布脛骨神經之足蹠枝。

療法：針三分、灸三壯乃至五壯。

主治：全身倦怠、心內膜炎、胃痙攣、直腹筋痙攣、腰痛、惡疸、小兒痙攣。

145 隱白（禁灸）

位置：足大趾之端、去內側爪甲、後內方

約三分處（他是胃疾患的有效點）

解剖：在第一趾第二節之末端內緣爪甲之發生根部外轉趾筋之腱膜中、循趾背動脈、分布淺腓骨神經、及內足蹠神經。

療法：針二分至三分。

案原本禁灸甲乙經灸三壯、延命山玉森氏本灸三壯乃至五壯。

主治：腹膜炎、急性腸加答兒、下肢厥冷、月經過多、小兒痙攣、作用對胃有影响一切胃的疾患刺該點有效。

（三）於膝關節之內側、自大腿骨內上髁之後側、匀過內踝之後側至足之內緣、更至足蹠之中部線、凡十穴。

146 陰谷

位置：膝之內輔骨之後、大筋之間。（內輔骨大髁骨下端之內關節髁、與脛骨上端之內關節髁合大筋、半腱樣筋及半膜樣筋之腱與腓腸筋內顆也）

解剖：在脛骨內關節髁之內緣後部、有半腱樣筋及半膜樣筋、循膝膕動脈分枝、分布膝膕神經、股神經、及脛骨神經。

療法：針四分、灸三壯。

主治：大腿內側部疼痛、膝膕關節炎、下腹膨脹、淋疾、陰萎、陰莖痛、膣內炎、大陰唇炎、陰門瘙癢、子宮出血。

140

147 築賓

位置、内踝之上五寸、腨分之中。（腨分腓腸也）

解剖、在比目魚筋與腓腸筋下部之境、循脛骨動脈、分布脛骨神經。

療法、針五分、灸三壯乃至七壯。

主治、精神病、鉛毒症、胎毒、比目魚筋痙攣。

148 復溜

位置、築賓之下三寸、内踝之后上二寸、和太谿上下呈直線。

解剖、在脛骨後部、有後脛骨筋、及長總趾伸筋、循後脛骨動脈、分布淺在腓骨神經。

療法、針五分、灸三壯、針取水平而入。

主治、脊髓炎、腹膜炎、淋疾、睾丸炎、腹鳴水腫病、下肢麻痺、作用主要止汗、盜汗過多、腰部痙攣、發齒痛、合谷復溜交換使用。

149 交信

位置、内踝之上二寸、復溜之前、三陰交之後下方一寸。

解剖、在脛骨後部、有後脛骨筋、及長總趾伸筋、循後脛骨動脈、分布淺在腓骨神經。

療法、針四分、灸三壯乃至七壯。

主治、淋疾、尿閉、便秘、腸加答兒、腹下上偏痛、水腫病、內枝神經痛、月經不調、子宮出血。

150 ○水 泉

位置：太谿之下一寸。（二横指）

解剖：在跟骨結節之内側，前上凹陷部，有長伸踇筋、及外轉踇筋、循後脛骨動脈分布脛骨神經。

療法：針三分至五分，灸三壯，不可太深，勿傷骨質，針取水平而入。

主治：月經不通，月經減少，近視眼，作用足關節炎，及神經痛，跟骨炎等。

151 照 海

位置：内踝之下一寸，陷中。

解剖：在跟骨與舟状骨之間，陷中，外轉踇筋中，循後脛骨動脈，分布脛骨神經。

療法：針三分，灸三壯乃至五壯。

主治：咽喉乾燥，四肢倦怠，歇斯的里，扁桃腺炎，腹疝痛，陰莖膨起過多，淋疾，子宮脱出，月經不調。

150 太 鍾

位置：足跟之上，大谿之下，水泉之上，横紋之中。

解剖：在阿喜利氏腱（即腓腸筋及比目魚筋之下端，附着跟骨强大之腱）之内側，陷中，有長腓骨筋，循後脛骨動脈，分布脛骨神經之分枝。

療法：針三分，灸三壯乃至七壯。

主治：神經性心悸亢進，歇斯的里，口内

炎、嘔吐、食道狹窄、便秘、淋疾、子宮痙攣。

153 太谿

位置、内踝之後跟骨之上、動脈、針取水平而入。（動脈後脛骨動脈也）

解剖、在内踝與跟骨之中間陷中、循後脛骨動脈、分布脛骨神經之分枝。

療法、針五分、灸三壯、勿傷脛骨動脈與跟腱。

主治、熱病後四肢厥冷、心内膜炎、肋膜炎、横隔膜痙攣、咽喉加答兒、口内炎、喘息、咳嗽、吃逆、嘔吐、便秘、子宮痙攣、

作用胃腸病、足關節部神經痛。

154 然谷

位置、内踝之前起骨之下。

解剖、在舟狀骨與楔狀骨之關節部、外轉蹠筋與長屈蹠筋附着部之間、循後脛骨動脈、分布脛骨神經及内足蹠神經。

療法、針五分、灸三壯乃至五壯。

主治、咽喉炎、心臟炎、扁桃腺炎、流涎、嘔吐、盜汗、膀胱加答兒、尿道加答兒、睾丸炎、精液缺乏、遺尿、糖尿病、不姙症、月經不調、子宮充血、子宮脫出、陰唇充血、陰門瘙癢、瘡毒症、小兒强直痙攣。

（六）主刺点 155 湧泉（為足心很重要的刺激點）

143

位置、足心陷中、曲足卷趾取之。

解剖、在蹈趾根膨隆部之後外側、長屈蹈筋之外側、短總趾屈筋之内側、循後脛骨動脈之末枝、内足蹠動脈分布脛骨神經之末枝、内足蹠神經。

療法、針一寸至一寸二分、灸五壯乃至七壯、皮厚、該部神經過敏、進針要固定、勿傷蹠動靜脈。

主治、舌骨筋麻痺、嘶嗄失聲、咳嗽、急性扁桃腺炎、心臟炎、心悸亢進、黄疸、眩暈、子宮下垂、不姙症。作用鎮靜一切神經症候不安、譫語皆可用之。

(四)自大轉子之前側、經腓骨小頭、勿過外踝之中部至第四腓側爪端之線凡十五穴。

156 ○環跳

位置、髀樞之中、大轉子内上方二横指處。(髀樞、大轉子也)

解剖、在大腿骨大轉子與髀臼關節上緣中間之後部、上層有大臀筋、下層有中臀筋、循上臀動脈分布薦骨神經之後枝。

療法、針二寸至二寸五分、灸七壯乃至十四壯、取側臥位、股關節屈曲。

主治、血管硬化、腰部大腿部及膝部組織炎、作用坐骨神經痛、小股部神經痛、股關節炎。

157 ○中瀆

144

位置、髀骨之外、膝上五寸、分肉之間陷中、（髀骨外股也、）

解剖、在大腿之外側股鞘與外大股筋之間、循外廻旋股動脈、分布外股皮下神經、上臀神經。

療法、針五分、灸五壯乃至七壯。

主治、下肢麻痺、及痙攣、腳氣。

158 陽關

位置、外輔骨之上、膝之旁、陽陵泉之上三寸。

解剖、在大腿骨外上髁之上、際四頭股筋停止部之外側、二頭股筋腱之前方、循上外膝關節動脈、分布股神經之分枝。

療法、針一寸至一寸二分、灸五壯取側臥位。

主治、膝關節炎、大腿部麻痺、作用神經痛、與坐骨神經痛。

159 風市

部位、大腿外側正中點（上肢下垂緊貼大腿中指附着處）

作用坐骨神經疾病大腿肌肉肌炎症

技術、一寸五分至二寸灸七壯取平臥位膕關節略曲對方向與同上

160 ○陽陵泉

位置、膝之下骺之外廉、腓骨頭前內下方横指

解剖：在腓骨小頭之前下部長腓骨筋與長總趾伸筋之間循前脛骨動脈之分枝及後返迴脛骨動脈分布腓骨神經

療法：針一寸至一寸五分灸七壯針時一切同陽輔

主治：膝關節炎血管硬化顏面浮腫常着便秘腳氣下肢痙攣舞蹈病坐骨神經

161 陽交

位置：外踝之上七寸

解剖：在腓骨部有長總趾伸筋及長腓骨筋循前腓骨動脈之分枝分布深腓骨神經之分枝

療法：針六分灸三壯乃至十壯

主治：喘息肋膜炎歇斯的里坐骨神經痛

162 外丘

位置：外踝之上七寸陽交稍後

解剖：在腓骨與脛骨之間長總趾伸筋與長腓骨筋之間循前脛骨動脈分布淺腓骨神經

療法：針四分灸三壯

主治：肋膜炎頸項部疼痛惡寒發熱小兒佝僂病癲癇

163 光明

位置：外踝之上五寸

解剖：在腓骨之前緣長總趾伸筋與長

腓骨筋之間後部有比目魚筋與腓腸筋循前脛骨動脈分部淺腓骨神經

療法：針六分灸七壯

主治：脛腓部疼痛精神病

164 陽輔

位置：外踝之上四寸

解剖：在腓骨與脛骨間有長總趾伸筋與長腓筋循前腓骨動脈分部深腓骨神經

療法：針五分至一寸灸三壯針由外側水平而入

主治：腰痛膝關節炎全身疼痛腰部冷部內外背疼痛扁桃腺炎腋下腺炎

痿痺作用足膝關節及下腿疾患

165 〇懸鍾

位置：外踝之上三寸

解剖：在腓骨之前緣長總趾伸筋與長腓筋之中央循前腓骨動脈分布淺腓骨神經

療法：針六分灸五壯乃至十五壯

主治：肋膜炎胃擴張脚氣扁桃腺炎腎臓炎衄血鼻孔乾燥頸項部疼痛下肢疼痛中風血管硬化症

166 丘墟

位置：外踝之下如前陷中

解剖：在脛腓關節下端與跗骨之關節部長總趾伸筋腱中循前外踝動脈

及腓骨動脈穿行枝分布淺腓骨神經

療法：針三分至五分灸三壯

主治：肺充血肋膜炎呼吸困難腸疝痛腹下腫痛角膜炎白膜翳腓腸筋痙攣作用足關節炎

167 臨泣

位置：足小趾次趾本節後之間陷中去俠谿一寸五分

解剖：在第四蹠骨之後外側與第五蹠骨之後內側之間長及短總趾伸筋腱中循外附骨動脈分布脛骨神經交通枝

147

療法：針三分灸五壯

主治：間歇熱全身麻痺及疼痛心內膜炎眩暈呼吸困難月經不順乳房炎

168 地五會（禁灸）

位置：足小趾次趾本節之後陷中

解剖：在第四蹠骨與第五蹠骨間腔之中央前端部循外附骨動脈分布脛骨神經交通枝

療法：針二分

主治：腹下疼痛乳房炎

169 俠谿

位置：足小趾次趾本節之前與通谷平

解剖：在第四趾骨與第五趾骨第一節之前岐骨之間長及短總趾伸筋腱附着部循趾背動脈分布趾背神經

148

療法：針三分至五分灸三壯

主治：肋間神經痛耳聾眩暈外背炎頰頷炎下肢麻痺作用通谷內庭同

170 竅陰

位置：足小趾次趾之端去爪甲如韭葉

解剖：在第四趾骨第三節之外側爪甲之養生根部長及短總趾伸筋附着部之外側循趾背動脈分布趾骨神經

療法：針一分灸三壯乃至五壯

主治：肋膜炎心臟肥大咳逆頭痛口內乾燥耳聾眼球疼痛乳癰

(五)自大腿前側之上部經膝蓋骨之外側勿過外踝之前側至第二趾外爪側端之綫凡十五穴

171 髀關

位置：膝上一尺二寸

解剖：在腸骨前下棘之外下側內有大腿骨循大臀筋部之上臀動脈分布外股皮下神經閉塞神經腰薦蹊神經

療法：針二寸五分至三寸灸七壯至十四壯

主治：腰痛內外股筋痙攣膝蓋部厥冷下肢麻痺閉塞神經痛作用股關節炎股部肌肉炎及生骨神經痛

172 伏兔

位置：膝上六寸起肉之間

149

（起肉之間、大腿前側之筋與內側筋之間也。）

解剖、在大腿骨之前外側、直股筋之外端循外廻旋股動脈之分枝、分布外股皮下神經、及股神經筋枝。

療法：針二寸五分至三寸、灸七壯至十四壯、膝關節屈曲、使大腿肌肉弛緩。

主治、膝蓋部厥冷下肢痙攣及冷却、痲痿、頭痛、脚氣、作用股部肌肉神經痛。

173 陰市

位置、膝上三寸、伏兔之下。

解剖、在大腿骨之前外側、有外大股筋、循外廻旋股動脈下行枝、分布外股皮下神經、及股神經筋枝。

療法：針一寸五分至二寸、灸三壯乃至七壯。（按、原本禁灸、廷命山、王森氏本灸三壯乃至五壯、甲乙經灸三壯。）

主治、腰部、大腿部、膝蓋部、冷却及痲痺、脚氣、腹水、子宮痙攣、糖尿病、作用梁丘附助刺點。

174 梁丘

位置、膝上二寸、大腿正中線。

解剖、在大腿骨之前外側、有外大股筋、循外廻旋股動脈下行枝、分布外股皮下神經、及股神經分枝。

療法：針一寸二分至一寸五分灸五壯至七壯、不可過深與過淺、達到目的時全關節腔有反應。

主治、腰痛、膝蓋部疼痛及麻痺、乳房炎、乳頭痛。作用膝關節炎及神經痛、尤其股四頭肌炎、効力更好。

175 犢鼻

位置、膝下、骱骨上大筋之中、（也叫膝眼）（骱骨脛骨結節也）大筋、膝蓋韌帶也）

解剖、在脛骨上端之外側、即膝蓋韌帶之外下側、循膝關節動脈網、分布股神經、脛骨及腓骨神經之關節枝。

療法、針一寸五分至二寸深、灸五壯至七壯、取穴時、小腿曲九十度。

主治、膝關節炎、主要刺激點、膝蓋部疼痛及麻痺腳氣。

主刺點 上古

176 ○三里

位置、外膝眼下三寸去骱骨之外一寸、（骱骨脛骨體前緣也）

解剖、在脛骨上端與腓骨小頭關節部之下方、有前脛骨筋、與長總趾伸筋、循前脛骨動脈及追迴脛骨動脈、分布深腓骨神經、及腓骨神經。

療法、針二寸至二寸五分、灸七壯乃至十四壯。注意未滿七歲之小兒不可灸。

主治、消化不良、胃痙攣、食慾減退、羸瘦、口腔疾患、腹膜炎、腹鳴、便秘、動脈硬化、血壓亢進、四肢倦怠及麻痺腳氣、頭痛、眩暈、逆上、眼疾、神經系諸疾患、作用全身影响很大、尤其對胃腸、効用更大起鎮靜作用。

177 巨虛上廉

位置：三里之下三寸。

解剖：在脛骨與腓骨之間、即前脛骨筋與長總趾伸筋之間循前脛骨動脈、分布深腓骨動脈。

療法：針一寸五分至二寸、灸三壯乃至七壯。

主治：腸加答兒腸疝痛、腹鳴、大腸冷却消化不良、腳氣、四肢麻痺。作用與下廉同。

178 條口

位置：上廉之下二寸。

解剖：在脛腓兩骨之間、有長總趾伸筋、循前脛骨動脈、分布深腓骨神經。

療法、針五分、灸三壯乃至七壯。

主治、下肢麻痺膝關節炎、腳氣。

179 巨虛下廉

位置、條口之下一寸、（上廉下三寸處）

解剖：在脛腓兩骨之間有長總趾伸筋、循前脛骨動脈、分布深腓骨神經。

療法、針一寸至一寸二分、灸五壯、（深以達神經反應覺度）

主治：肋間神經痛、下腹部痙攣、扁桃腺炎、腦貧血、流涎、食慾減退、腳氣、作用足關節炎及下腿肌肉神經痛。

180 豐隆

位置：外踝之上八寸。

解剖：在脛腓兩骨之間有長總趾伸筋循前脛骨動脈分布淺腓骨神經

療法：針三分灸三壯乃至五壯

主治：肋膜炎、肝臟炎、下腹痙攣及麻痺、精神病、頭痛、便秘、尿閉、歇斯的里。

181. 解谿

位置：外踝之前、衝陽之後一寸五分、足腕之上、陷中。

解剖：在前脛骨筋之腱與長總趾伸筋腱之間、當環狀靭帶部、循前脛骨動脈、分布深腓骨神經。

療法：針三分至五分、灸三壯乃至七壯。

主治：顏面浮腫、眩暈、頭痛、癲癇、歇斯的里、下腹膨脹、便秘、作用足關節炎症、及神經痛、胃腸炎。

182. 衝陽

位置：內庭上五寸、骨間動脈。（骨間動脈足背動脈也）

解剖：前足背之最高所、第二第三楔状骨與第二第三蹠骨之關節部、當長伸拇筋與短伸拇筋之間、循背骨間動脈、分布淺腓骨神經。

療法：針三分、灸三壯乃至五壯。

主治：顏面麻痺、齒痛、齒齦炎、癲癇、嘔吐、腹部膨脹、食慾減退、下肢麻痺。

183. 陷谷

位置：內庭之上二寸。

解剖：在第二第三蹠骨間之中央前端

153.

部有短総指伸筋腱、循前脛骨動脈之終枝分布淺腓骨神經及深腓骨神經。
療法、針三分、灸三壯。
主治、顏面浮腫、眼球充血、欠伸、腹鳴、腸疝痛、間歇熱。

184 内庭
位置、足大趾與次趾之外間、陥中、上方一横指。
解剖、在第二趾骨第一節之前外部、長及短総趾伸筋腱中、循第一骨間足背動脈、分布深腓骨神經及淺腓骨神經。
療法、針三分至五分灸三壯
主治、間歇熱及發汗、顏面神經麻痺、上齒齦炎、衄血、欠伸、咽喉痙攣、作用足背炎症及神經痛、胃的炎症、及神經痛。

185 厲兌
位置、足大趾次趾之外間、陥中。
解剖、在第二趾骨第三節之背面外側、爪甲之發生根部、當長総趾伸筋附着部、循前脛骨動脈之終枝、分布淺及深腓骨神經之末枝。
療法、針一分、灸三壯。
主治、肝臟炎、消化不良、腦貧血、精神病、扁桃腺炎、齒齦炎、鼠蹊神經痛、腹水水腫病、口輪笑筋萎縮、息炷鼻加答兒。

154、

(二)自大轉子與坐骨結節之間經膝膕窩之中部勿過外踝之後側、至小趾之外側爪端之線九十九穴。

1.承　扶　(禁灸)

位置、尻臀之下陰骨之上七寸處約文之中。

(尻臀為臀肉、陰股與內股也、約文臀皺襞也)。

解剖、在臀下皺襞横紋之中央、即大臀筋之下際、有大內轉股筋、循下臀動脈、分布下臀神經後枝及坐骨神經。

療法、針三寸五分至四寸、灸七壯至十四壯、與殷門同樣注意。

主治、腰背神經痛及痙攣、痔疾、便秘、尿閉、臀部焮衝、作用坐骨神經痛、及坐骨神經幹疾患。

2、殷　門

位置、承扶之下六寸、膝膕正中線上方七寸處。

解剖、在大腿後面之中央部、即二頭股筋與半膜樣筋之間、循股動脈、分布坐骨神經。

療法、針二寸至三寸、灸七壯至十四壯、因該處為坐骨神經幹、達目的有顯明感覺、即不能亂搗、取伏臥位、針直下。

主治、腰背部疼痛、大腿部焮衝及痙攣、作用坐骨神經痛。

155

3、浮郄

位置：委陽之上一寸，曲膝取之。

解剖：在大腿後下部外側二頭股筋内側，循膝膕動脈之分枝，分部膝膕神經，腓骨神經。

療法：針五分灸三壯乃至七壯。

主治：吐瀉限局性痙攣、便秘、尿閉、下肢外側麻痺。

4、委陽

位置：膕中外廉兩筋之間，曲膝取之，委中同高在他内側。

(膕中為膝膕窩，兩筋二頭股筋之腱與股鞘也。)

解剖：在二頭股筋之内側，循膝膕動脈分布膝膕神經、腓骨神經。

療法：針二寸左右灸三壯乃至五壯或七壯，取腹卧位，勿傷膝窩内血管。

主治：腰背部痙攣、膝膕窩神經痛、腓腸筋痙攣、下腹痙攣、癲癇，作用與委中同，為委中付刺激點。

5、委中（主刺點穴）

位置：膕之中央約文中之動脈外側肌腱内緣中。

(動脈膝膕動脈也。)

解剖：在大腿骨與下腿骨之關節部，腓腸筋之二頭間，循膝膕動脈，分布腿骨神經。

療法：針二寸左右灸三壯乃至五壯或

156.

七壯。勿傷腿窩內動靜脈、取腹臥位。

主治：下腹膨脹、膝關節炎、大腿關節炎、中風、作用坐骨神経痛、腓腸肌痙攣、胃腸疾患。據云霍亂有効。

6. 合陽

位置：膕中的紋之下二寸、委中之下二寸。

解剖：在腓腸筋部、循後脛骨動脈、分布後脛骨神經、膝膕神経。

療法：針五分、灸五壯乃至七壯。

主治：腰背疼痛、下腹痙攣、膝膕部組織炎、腸出血、睪丸炎、子宮出血、子宮內膜炎。

7. 承筋（禁針）

位置：腓腸之中央。（腓腸、腓腸部也）

解剖：在腓腸筋部、循後脛骨動脈、分布後脛骨神経。

療法：灸三壯乃至七壯。

主治：限局性痙攣、吐瀉、便秘、痔疾、腰背部痙攣、腓腸部痙攣及麻痺。

8. 承山

位置：腓腸之下、分肉之間、陷中、與崑崙一線、腓腸肌最寬處。

解剖：在腓腸筋部、循後脛骨動脈、分布後脛骨神經。

療法：針二寸至二寸五分、灸五壯乃至七壯、取側臥位、下腿在弛緩情況稍彎針由上方直下。

主治：限局性痙攣、吐瀉、便秘、淋疾、脚氣、小兒痙攣作用}對陰部起作用如痔瘡、發炎出血等有効。

9.0 飛陽

位置：外踝之上七寸，骨之後。（骨之後，腓骨後側也。）

解剖：腓骨之外側部，當腓腸筋之外緣循腓骨動脈，分布腓骨神經。

療法：針五分，灸三壯乃至七壯。

主治：痔疾、關節僂麻質斯、脚氣、眩暈、癲癇。

10. 跗陽

157. 位置：外踝之上三寸。

解剖：在腓骨之外側部，有腓腸筋，循前腓骨動脈，分布深腓骨神經。

療法：針五分，灸五壯乃至七壯。

主治：限局性痙攣、吐瀉、腰痛、顏面神經痛、大腿部神經痛、四肢麻痺。

11. 崑崙

位置：外踝之後，跟骨之上凹中，與太骨相對。

解剖：在外踝阿斯利氏腱中央凹中，循後外踝動脈，分布淺腓骨神經及脛骨神經。

療法：針三分乃至五分，灸三壯乃至七壯。

主治：頭痛、眩暈、衄血、肩背部痙攣、腰痛、生骨神經痛、跟踝關節炎、脚氣、腺病、佝僂病、陰門腫痛作用足關節炎及神經痛。

12 僕 参

位置：跟骨之下、陥中。

解剖：在跟骨結節後下部之稍扁於外側之所，即阿斯刹氏腱停止部之外側、循腓骨動脈之枝、别分布淺腓骨神經及脛骨神經交通枝。

療法：針三分、灸三壯乃至七壯。

主治：脚氣、淋疾、膝関節炎、腓腸筋及足蹠筋麻痺、限局性痙攣、癲癇。

13 申 脈 (禁灸)

位置：外側之下、陥中入爪。

解剖：在外踝之微下、外轉小指筋之上端、循腓骨動脈穿行枝、分布脛骨神経交通枝。

療法：針三分、灸三壯乃至七壯。

案：原本禁灸、其他各書不列禁灸。

主治：頭痛、暈眩、腰部及下肢疼痛、脛骨部麻痺、動脈硬化症、子宮痙攣。

14 金 門

位置：外踝之下一寸。

解剖：在外踝之前下方五分、跟骨與骰子骨間之陥凹部、短總趾伸筋中、循腓骨動脈穿行肢、分布脛骨神経交通枝。

療法：針三分、灸三壯乃至七壯。

主治：前頭痛、下腹痙攣、腹膜炎、膝蓋部麻痺、嘔吐、限局性痙攣、癲癇、小兒搐搦。

15、京骨

位置：足之外側、大骨之下。（大骨、骰子骨也。）

解剖：在足背與足蹠之境界部、骰子骨與第五蹠骨關節部之陷中、有外轉小趾筋、循足背動脈之分枝、分布外足蹠神經之深枝。

療法：針三分乃至五分、灸三壯乃至七壯。

159、主治：心臟病、腦膜炎、腦充血、腰痛、間歇熱、佝僂病。

16、束骨

位置：足小趾之外側、本節之後。

解剖：在第五蹠骨之側前部、長總指伸筋腱中、循足背動脈之分枝、分布外足蹠神經之深枝。

療法：針三分、灸三壯乃至五壯。

主治：頭痛、眩暈、耳聾、淚管狹窄、內眥炎、眼球黃色、顱頂部疼痛、項筋收縮、回顧不能、腰神經痛、腓腸筋痙攣、癰疽、疔瘡等惡腫物。

17、通谷

位置：足小趾外側、本節之前。

解剖：在第五趾第一節之前外側、長總指伸筋腱中、循趾骨動脈、分布趾背

160.

神經。

療法：針二分、灸三壯乃至五壯。

主治：頭痛、眩暈、衄血、頸項部疼痛、慢性胃加答兒。

18、通谷（因和老本部位不同、此位是擬魯部長定）

部位：與內庭平行、第三第四蹠骨之間。

作用：與內庭同。

技術：深三分至五分、灸三壯。

19、至陰

位置：足小趾外側、去爪甲如韮葉。

解剖：在第五趾第三節之外側、爪甲之發生根部、長趾伸筋附着部之外

緣、循趾背動脈、分布趾背神經。

療法：針二分、灸三壯。

主治：頭痛、鼻孔閉塞、眼球充血、白膜翳、尿閉、失精。

161

治療幾種常見疾病
的刺激点

(一)腦出血

1、尚未吸收有腦症狀者 合谷 曲池 陽輔 陽陵泉 内庭 風府 肝俞

2、肢体麻痺者 肘髎 上廉 魚際 風市 膝眼 三陰交

3、有疼痛感覺者 少商 尺澤 委中 合谷 曲池 肩髃 陽陵泉 絶骨 崑崙 環跳

4、顔面神經麻痺 地倉 頰車 迎香 人中 大迎 上關 下關 顴髎

5、一側癱瘓 百會 合谷(主要用在患側) 曲池 肩髃 手三里 崑崙 絶骨 陽陵泉 環跳 足三里 肝俞

6、手攣縮其麻痺(神經性) 手三里 肩髃 曲池 曲澤 間使 後谿 合谷

7、足攣縮其麻痺(神經性) 行間 丘墟 崑崙 陽輔 陽陵泉 足三里

8、牙關緊閉(实症性或神經性) 頰車 百會 人中 合谷 曲池 上下關

(二)腦貧血

1、頭暈兼作嘔時 豐隆 中脘 風

162.

池 觧谿 神庭 百會 攢竹 風府

(三)癲癇 人中 少商 大陵 申脈

風府 頰車 承漿 勞宮 會陰

曲池舌下縫出血

(四)癔病

1、喜哭無時 人中 陽谿 列缺

大陵 神門

2、呆而不哭 少商 心俞 神門

湧泉 中脘

3、多悲泣 百會 大陵 人中

(五)失眠 大淵 公孫 隱白 肺俞

陽陵泉 三陰交

(六)三叉神經痛 合谷 曲池 頰車

地倉 承漿 肩顒 童子髎 翳風

(七)頭痛

1、腦頂部 上星 風池 天柱 少

海

2、前額 上星 前頂 百會 合谷

崑崙 俠谿 攢竹 頭維 觧谿

3、偏頭痛 頭維 絲竹空 攢竹

風池 前頂 俠谿 上星

(八)膝関節神經痛 膝眼 陽陵泉 陰

市 陽関 曲泉 絕骨 梁丘

(九)神經衰弱 神門 足三里 百會

合谷 関元 膏肓俞 大椎 肺俞

(十)扁桃腺炎 頰車 少商 魚際 經

渠 合谷 豐隆 湧泉 関冲 中

渚 太谿 天突 尺澤

163、

（十一）胃疾　胃俞　公孫　內關　足三里

（十二）胃蠕動遲緩〃　脊中　下脘　巨闕　膈俞　胃俞

（十三）神經性消化不良　手足三里　胃俞　脾俞　上中下脘

（十四）腸疾　中脘　曲池　足三里　陰陵泉　曲澤　三陰交　中極　氣海　天樞　關元　石門

（十五）習慣性便秘　支溝　照海　承山　太谿　太冲　太白　大腸俞　脊中　關元　天樞　下脘

（十六）痔　承山　崑崙　脊中　飛揚　太冲　復溜　俠谿　氣海　長強　命門　腎俞

（十七）膀胱　百會　長強　命門　氣冲　大腸俞

（十八）腹水　氣海　陰交　照海　腎俞　脾俞　胃俞　足三里

（十九）鼻疾　迎香　上星　合谷　人中　風府　百會　風池　大椎　風門　禾髎

（二十）喉頭疾　少商　合谷　尺澤　關冲　風府　間使

（廿一）氣管技疾亦可用在胃感　天柱　風池　大杼　風門　肺俞　大椎　身柱　合谷　列缺　太淵　尺澤

（廿二）喘息　天突　膻中　合谷　列缺　手三里　太冲　豐隆　肺俞　風門

164.

魚際 陽谿 解谿 崑崙

(廿三)肺水腫 大杼 風門 肺俞 [illegible]俞

肝俞 俞府 列缺 湧泉

(廿四)咯血 百勞 肺俞 中脘·列缺

肝俞 湧泉

(廿五)肋膜炎 公孫 三里 太冲 三陰

交 陽陵泉 支溝 陰陵泉

(廿六)神經[illegible]脉 肺俞 心俞 合谷

手三[illegible] 曲池 三陰交

(廿七)糖尿病 人中 承漿 神門 然谷

內關 三焦俞 中脘 胃俞 太淵

列缺 腰俞 腎俞 氣海 關元

(廿八)白血病 大椎 至陽 陶道 脾俞

胃俞 間使

(廿九)風濕性關節炎

1.腕關節 曲池 合谷 肩髃 內

關 陽池 中渚 大陵

2.肩關節 合谷 太冲 肩井 曲

池 曲澤 肩髃 肩髎 肩貞

3.膝關節 陽陵泉 足三里 絕骨

三陰交 申脈 內外膝眼 梁丘

伏兔 陽關 陰市

4.股關[illegible]大腿肌肉神經痛 后

谿 環跳 風市 髀關 血海

殷門 委中 足三里 三陰交

(卅)關節攣縮

1.指攣痛 少商 尺澤 曲池 陽

谷 合谷

165.

2、肘關節攣痛　大淵　曲池　尺澤
肩髃　少海　間使　後谿
3、足部攣縮　腎俞　陽陵泉　陽輔
絕骨
4、下腿肌肉痙攣　腓腸肌痙攣　金
門　丘墟　然谷　承山
(廿)赤痢　小腸俞　中膂俞　足三里
合谷　外關　腹哀　復溜　關元
脾俞　天樞
(廿一)瘧疾　內關　大椎　膈關和膈俞
腎俞　靈台　陶道　在疾作前二至
三小時前針灸
(廿二)腳氣病　湧泉　至陰　太溪　崑崙
陰陵泉　陽陵泉　三陰交　絕骨

照海　內外膝眼　委中　足三里　陰
市　陽輔　風市
(廿四)產婦科
1、子宮內膜炎　手足三里　合谷
三陰交　腎俞　八髎　中極
2、子宮實質炎　三陰交　陰陵泉
腎俞　關元　中極　八髎　兩者可併
用。
3、月經過多(內分泌障碍)隱白
三陰交
4、月經困難　內分泌障碍　內庭
三陰交　氣海　合谷　血海
5、妊娠惡阻　內關　中脘　間使
6、陣痛微弱　合谷　三陰交　太冲

崑崙 至陰
7.產後子宮收縮不全 三陰交 中
極 照海 內關 崑崙 三里 支溝
關元
(廿五)小兒科
1.由高熱引起之全身痙攣 少商
曲池 人中 大椎 湧泉 中脘 委
中 印堂 承山 百會
(廿六)齲齒的對針治療
1.上列齲齒引起的牙痛 合谷 太
淵 人中 內庭
2.下列齲齒引起的牙痛 合谷 列
缺 承漿 頰車 內庭
(廿七)齒齦炎 合谷 頰車 內庭 太谿

陽谿
(廿八)結膜炎 目窗 大陵 合谷 液門
上星 攢竹 絲竹空 太淵 臨泣
俠谿 風池 晴明 中渚 童子髎
太陽 迎香 神庭 百會
(廿九)角膜炎 頭維 晴明 臨泣 風池
肝俞 百會 后谿 童子髎 絲竹
空 攢竹 四白 承泣
(卅)夜盲症或花紋 上星 前頂 百會
晴明 攢竹 神庭 迎香 頭維
手三里 承泣 目窗 風府 風池
肝俞 照海 巨髎 液門 此上常
見疾病共四十症
幾種對症刺激點

57、

(小)止汗

(一)多汗症

1、汗腺分泌過盛 少商 列缺 曲池 然谷 冲陽 大敦 足三里

2、虚汗 重病恢復期或大失血等虚弱患者 合谷 復溜 陰都 曲泉 照海 魚際

3、盗汗 陰都肺俞 也能用虚汗的刺激点

4、黄汗 汗腺分泌異常如腋臭……等 合谷 曲池 足三里 陰陵泉 脾俞 三支俞 人中

(乙)消腫

1、頭面腫脹 水分 迎香 合谷

2、頸部腫脹 合谷 曲池

3、腋下腫 陽輔 丘墟 臨泣

4、全身水腫與顔面浮腫(心臟或腎臟性的浮腫)曲池 合谷 三里 内庭 行間 三陰交 照海 人中 絶骨 中脘 腕骨 脾俞 水分 氣海

(丙)止痛

1、頸項痛 頸項部風湿性肌肉神經痛 通天 百會 風池 巨骨 啞門 大杼 后谿

2、肩背部 肌肉神經痛 手三里 肩髃 天柱 曲池 陽谷 肩井 膏肓

3、胃神經痛 間使 灵台 公孫

168. 太冲 足三足 陰陵泉

4. 絞心症 然谷 上脘 湧泉 間使 支溝 足三里 獨陰

5. 胃潰瘍 京骨 崑崙 然谷 委陽

6. 肋間神經痛 懸鐘 竅陰 外關 手三里 支溝 章門 中封 陽陵泉 行間 期門 陰陵泉 丘墟 湧泉

7. 腸痙攣 針內關 支溝 照海 巨闕 足三里 獨陰

8. 坐骨神經痛（主幹）崑崙 懸鐘 肩井 環跳 委中 委陽 風市 八髎 秩边 陽關